Liquid

液体

この素晴らしく、不思議で、危ないもの

マーク・ミーオドヴニク
松井信彦 訳

インターシフト

父と母の愛おしい思い出のなかで

Liquid
The Delightful and Dangerous Substances That Flow Through Our Lives
by Mark Miodownik
Original English language edition first published by
Penguin Books Ltd., London

Japanese translation published by arrangement with
Penguin Books Ltd through The English Agency (Japan) Ltd.

【目次】

＊文中、〔　〕は訳者の注記です

はじめに　不可解で謎めいた性質

私はピーナッツバター、はちみつ、バジルソース、歯みがき粉、そして何より痛いことにシングルモルトのウイスキーを、空港の保安検査場で残らず没収された。こんな状況に陥ると、どうも愚かな行動に出てしまう。「上司を出せ」と言いだしたり、「ピーナッツバターは液体じゃない」と口走ったり。実は液体だと知っているのだが。ピーナッツバターは流動し、器の形に落ち着く。液体とはそういうものであり、ゆえにピーナッツバターは液体だ。わかってはいるのだが、何とも腹立たしい。「スマート」テクノロジーあふれる世の中にあって、空港の保安検査場では液体のスプレッド（塗り物）と液体の爆薬とをいまだに区別できないのだから。

100ミリリットルを超える液体を保安検査場の向こう側へ持っていけなくなったのが2006年。検出テクノロジーはあれからたいして進歩していない。X線検査装置は、荷物の中を見通して物体を検知できる。特に、怪しい形状があると警告を発する――拳銃をヘアドライヤーと、ナイフをペンと区別して。しかし、液体には形がない。それを収めた入れ物がどのような形をしていても、とにかくその形になる。空港に導入されているスキャンテクノロジーでは、密度や各種元素も判定できる。それでも、やはり問題がある。たとえば、爆薬であるニトログリセリンの分子組成はピーナッツバターの組成と似ている。どちらも炭素、水素、窒素、酸素でできているのだが、片や液体の爆薬、そしてもう一方はまあ、その、おいしい。危険な毒素、毒物、漂白剤、病原体は多々あり、それらを人畜無害の液体と素早く確実に区別することはきわめて難しい。という、これまで大勢の検査官（とその上司）から聞かされてきた理屈によって、私のピーナッツバターは、あるいは手荷物からいつも出し忘れている気がするほかの液体も、重大なリスクとみなされ、私はたいてい——仕方なく——引き下がる。

頼りがいのある固体に対し、液体はその別人格だ。固体の材料は人類の忠実な友で、衣服、靴、スマホ、自動車、そしてもちろん空港の形を永らく保つ。それに対し、液体は流れる。どのような形にもなるが、それは容器に収められていればこそで、そうでなければ絶えず移ろう。滲み出し、腐らせ、したたり、私たちの手に負えなくなる。固体物は、どこかに据えればそこに留まって力ずくの排除を拒み、建物を支えたり、各地に電気を送ったりと、えてしてとても有用な仕事をする。一方、液体は無法者で、何かとものを壊したがる。たとえば浴室では、水が亀裂から染み出して床下に水がたまることがないよう、絶えず目を光らせていなければならない。床下に達するとろくなことをせず、梁などの木材を腐らせてだめにするからだ。タイル張りの滑らかな床の上では、人を滑らせて転ばすのにうってつけの危険物と化して、大勢にけがをさせる。浴室の隅に集まれば、そこにぬめりとした黒いカビやばい菌が発生し、人体に侵入して具合を悪くさせる脅威となる。だが、これだけの背信行為がありながら、私たちはこの物質が大好きで、お湯につかったり、シャワーを浴びたりと、全身びしょぬれになることをいとわない。それに、ボトル入りの石けんやシャンプーやリンス、瓶入りのクリーム、チューブ入りの歯みがき粉といったあれやこれやのない浴室や洗面所など考えられない。奇跡のようなこうした液体を喜んで使っていながら、私たちは心配もする。体に悪い？　がんを引き起こす？　環境を損なう？　液体の話では、満足と疑念が表裏一体だ。液体にはそもそも二面性がある。液体とは気体でも固体でもなくそのあいだを行くもの、不可解で謎めいたものだ。

たとえば水銀。水銀は何千年と人類を喜ばせも毒しもしてきた。子供の頃、私はよく水銀で遊んだ。テーブルの上に置いて指ではじいては、この世のものとも思えぬ様子に見とれたものだが、その毒性を聞かされてやめた。だが古代には数々の文化で、水銀は寿命を延ばす、骨折を治す、健康を保つと考えられていた。なぜそうもありがたがられていたのか、理由ははっきりしていない。もしかすると、常温で液体である唯一の純金属であることが特別だからかもしれない。中国を初めて統一した秦の始皇帝が、健康のためにと水銀の丸薬を服んでいたが、おそらくそのせいで49歳で死んだ。にもかかわらず、彼は水銀の川が張り巡らされた墓に埋葬されたという。古代ギリシャ人は、水銀を軟膏にして用いていた。錬金術師は、あらゆる金属は水銀と、やはり元素の単体である硫黄との組み合わせでできており、水銀と硫黄が完璧に釣り合うと金ができる、と信じていた。ここから、異なる金属を適切な比率で混ぜ合わせれば金に変えられる、という誤った考え方が生まれた。これが伝説にすぎないことは実証済みだが、それはそれとして、金はなんと水銀に溶ける。そして、金の溶け込んだその液体を熱すれば、液体が蒸発してあとには金の塊が残される。たいていの古代人にとって、この変化は魔法としか思えなかった。

別の物質を飲み込んで含んでいられる液体は水銀だけではない。塩を水に加えれば、すぐその姿を消す。塩はどこかにあるはずだがどこへ行ったのか？　ところが、同じことを油でやっても塩はそのままだ。なぜだろう？　液体の水銀は、固体の金を溶かせるが、水は拒む。なぜか？

水は酸素などの気体を吸収する。そうでなかったら、私たちの暮らす世界はまったく違っていただろう。魚が呼吸できるのは、酸素が水に溶けているからだ。また、水は酸素を人間が呼吸できるほどは含んでいられないが、それができる液体もある。油の一種である液体パーフルオロカーボン（ＰＦＣ）は、化学的にも電気的にも反応性がきわめて低く、ビーカーいっぱいの液体ＰＦＣにスマホを突っ込んでも普通に動作を続ける。また、酸素を人間が呼吸できるほど大量に吸収できる。空気の代わりに液体を吸うという液体呼吸には使い道がいろいろあり、なかでも呼吸切迫症候群の未熟児の治療が最も重要な用途と言える。

それはそうと、命を支える究極の性質を持っているのは液体の水だ。何しろ、酸素のほかに、炭素ベースの分子をはじめ、さまざまな化学物質を溶かせるので、生命の発現に、新たな生き物の自然発生に欠かせない水環境をつくりだす。というか、少なくともそれが定説だ。ゆえに、ほかの惑星に生命を探す科学者は、液体の水を探す。ところが、液体の水は宇宙ではめったにお目にかかれない。木星の惑星エウロパには氷の外殻の下に液体の水の海が存在する可能性があるし、土星の惑星エンケラドスにも液体の水があるかもしれない。だが、太陽系で大量の水がいつでも表面にある天体は地球だけである。

地球の表面は、特有の諸条件によって、液体の水を保持できる温度や圧力になっている。それに、地球の中心部には融けた金属でできた液体があって、磁場をつくって私たちを太陽風から守っており、この磁場がなかったら水は何十億年も前にすっかり失われていたに違いない。簡単に言えば、私たちの惑星では液体が液体を生み、それが生命につながった。

だが、液体は破壊的でもある。発泡材料（フォーム）が柔らかいのは、簡単に圧縮されるからだ。フォームでできたマットレスに飛び乗ると、体の下でつぶれるのを感じるだろう。液体はそうはならない。その代わり、流れる。具体的には、どこかの分子が別の分子のいなくなった場所へ動く。川を見ると、蛇口をひねると、スプーンでコーヒーをかきまぜると、目にするとおりである。あなたが飛び板を踏み切って水面に落ちてきたら、水は流れてあなたから逃げなければならない。だが、流れるにはそれなりの時間がかかり、当たったスピードが速すぎると、水は逃げられるほど速くは流れられずに、あなたを押し返す。プールに飛び込んで腹打ちしたときに肌を刺し、高い所から水に落ちるとコンクリートの上に飛び降りたも同然にしているのがこの力だ。圧縮されないというこの性質によって、波はときに命を脅かすような力を発揮し、津波ともなると建物や都市を破壊したり、車を流木のようにもてあそんだりしうる。たとえば、２００４年のスマトラ島沖地震では、一連の津波によって14カ国で23万人の命が奪われた。これは記録に残るなかで8番めにひどい自然災害だった。

爆発することも液体の危険な性質のひとつだ。私がオックスフォード大学で博士課程をスタートさせた頃、電子顕微鏡用に小さな試料を調製する必要があった。その過程で電解研磨液を−20℃まで冷やすのだが、この液はブトキシエタノールと酢酸と過塩素酸の混合液だった。所属していた研究室にはもう1人、アンディ・ゴッドフリーという博士課程の院生がいて、彼がやり方を見せてくれたので、それで扱い方を心得たつもりになっていた。ところが数カ月後、私が電解研磨中によくこの溶液の温度を上がるにまかせていることにアンディが気づいた。ある日、背後から様子をのぞいた彼が驚いて目を見張り、「おれだったらそれは避けるぞ」と言った。理由を尋ねると、彼は化学薬品の危険性が書かれた実験の手引きを指さした。それにはこうあった。

過塩素酸は腐食性の酸であり、人体の組織を破壊する。吸い込んだり、飲み込んだり、皮膚や目にかかったりすると、健康を害するだろう。室温以上に熱せられたり、（温度によらず）濃度72％以上で使用されたりすると、強い酸化性酸となる。有機物が過塩素酸と混ざったり触れたりすると、とりわけ自発点火しやすくなる。過塩素酸の蒸気は換気系の配管内において、衝撃に敏感な過塩素酸塩を形成することがある。

要は、爆発してもおかしくないということだ。

実験室を見回すと、似たような無色透明の液体がいくつもあり、そのほとんどが互いに見分けが付かなかった。たとえば、研究室ではフッ化水素酸が使われていたが、これはコンクリートや金属や肉を腐食していく酸であるうえ、神経を麻痺させる接触毒でもある。その作用は知らぬ間に進行し、この酸にやられていてもそれが感じられない。誤って触れたことにまったく気づかぬまま、この酸が皮膚を蝕み続ける。そんな事態がいとも簡単に起こりうる。

アルコールも毒物のうちに入る。毒になるのは摂取しすぎの場合だけかもしれないが、人命を過塩素酸よりもよほど多く奪ってきた。それでも、世界中の社会や文化で大きな役割を果たしており、いにしえから長らく消毒剤、鎮咳剤、解毒剤、精神安定剤、燃料として用いられてきた。アルコールの最たる魅力は神経系の興奮を静めること、一種の向精神薬であることだ。日々ワイングラスを傾けないことには務めを果たせない人は多く、たいていの社会機能はアルコールが出される場所を中心に回っている。私たちはこの液体を（いみじくも）信頼していないかもしれないが、とにかく大好きだ。

アルコールの生理学的な作用は、アルコールが血流に吸収されると感じられる。心臓の鼓動は、人体における血液の役割を、そして血液が循環し続けていることの必要性を絶えず訴えかけている。私たちが生きていられるのは体内にポンプがあるおかげであり、このポンプが止まれば私たちは死ぬ。世に液体が数あるなかで、血液は間違いなく生命維持に最も欠かせない部類に入る。幸い、心臓は今では置き換えたり、バイパスしたり、体外に置いて体内とつないだりできる。血液にしても、追加、除去、保存、共有、冷凍、回復ができる。さらに言えば、血液銀行がなかったら、手術中の患者、交戦地での負傷者、交通事故の被害者が毎年大勢命を落とすだろう。だが、血液はＨＩＶや肝炎ウイルスなどの病原体で汚染されることがある。治癒に役立つこともあれば、害をなすこともあるのだ。そのため、血液についても、あらゆる液体と同様、こうした二面性を考慮する必要がある。特定の液体について問うべき大事なことは、信頼できるかどうか、善か悪か、健康に良いか悪いか、おいしいかまずいかではなく、その液体を利用できるほど理解しているかどうかだ。

液体を手なずけることで得られる威力や満足感は、旅客機での飛行に関わってくる液体に目を向けると何よりわかりやすい。というわけで、本書では大西洋航路のフライトと、それに関わる奇妙にして素晴らしき液体をいろいろと取り上げる。私がこのフライトに乗ったのは、博士課程のあいだに自分を吹き飛ばさずに済み、材料科学の研究を続けて、のちにロンドン大学ユニバーシティ・カレッジのインスティテュート・オブ・メイキングの所長になったからだ。私たちの研究テーマのひとつに、液体が固体に成り済ます仕組みの解明がある。たとえば、道路の舗装に用いられているアスファルトはピーナッツバターと同じく液体なのだが、固体という印象を与える。この研究のおかげで世界中から会議にご招待いただいており、本書はある出張でロンドンからサンフランシスコまで飛んだときの旅物語である。

このフライトを語るのに、分子の言葉、鼓動の言葉、海の波の言葉を用いる。その狙いは、液体の謎めいた性質と、私たちが液体に頼るに至った経緯を明らかにすることだ。このフライトでは、アイスランドの火山、グリーンランドの広大な氷原、ハドソン湾を囲むように点在する湖の上空を飛んだのち、太平洋沿岸を南下する。これだけ大きなキャンバスがあれば、液体について海から雲の水滴までというスケールで議論できるし、機内エンターテイメントシステムに使われている不思議な液晶、客室乗務員が運んでくる飲み物、そしてもちろん、機体を成層圏内で飛ばし続けている航空燃料についても見ていける。

各章ではフライトのさまざまな局面と、それを実現している液体の性質、たとえば燃焼、溶解、醸造の力を取り上げる。また、毛細管現象、液滴の形成、粘性、可溶性、圧力、表面張力など、液体の奇妙な性質の数々のおかげで私たちが世界中へ飛んでいけることを示していく。その過程で、液体はなぜ木を上り、山を下るのか、油はなぜ粘つくのか、波はどうやってあれほど遠くまで伝わるのか、ものはどのようにして乾くのか、液体が結晶でいられるとはどういうことなのか、自家製密造酒で自分を毒殺しないようにするにはどうしたらいいのか、そして何より大事かもしれない、完璧な紅茶はどうしたら淹れられるのかを明らかにする。というわけで、空の旅をご一緒に。一風変わった驚くべき旅になることをお約束しよう。

第1章 爆発…現代の魔法のランプに乗って

ケロシンの発見

扉が閉まり、機体がヒースロー空港のゲートから押し出されると、すぐさまアナウンスが入り、離陸前の機内安全に関する説明が始まる。

「皆様、こんにちは。本日はブリティッシュ・エアウェイズ○○便、サンフランシスコ行きへのご搭乗、誠にありがとうございます。離陸に先立ちまして、これより客室乗務員が機内の安全設備についてご案内いたします」

いつも思うのだが、これは人を不安にさせるようなフライトの始め方だ。言わせてもらえば看板に偽りありで、安全に関する説明だというのに、少しも安全の話になっていない。何と言っても、積まれている何万リットルもの航空燃料について触れようとしない。そもそも、エネルギーを大量に抱えるこの液体あってこそ飛べるわけで、その激しい性質をパワーの源とするジェット

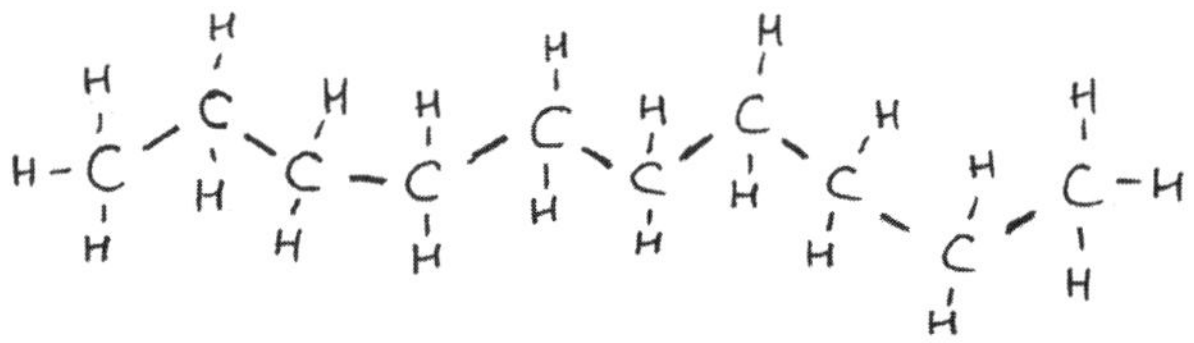

ケロシンに含まれる炭化水素分子の構造。

エンジンは、この便なら４００人を乗せた２５０トンの機体を、滑走路上に停止した状態から巡航時の時速８００キロ、高度1万２０００メートルまで20分前後でもっていける。この液体の持つ壮絶なパワーが、かつて夢のまた夢だった物事を実現している。私たちは雲の上まで舞い上がり、世界中ほぼどこへでも1日とかからずに行くことができる。同じ液体が、世界初の宇宙飛行士ユーリ・ガガーリンをロケットで宇宙へ連れて行った。また、スペースX社の最新型ロケットを飛ばし、そこから人工衛星が大気圏内で切り離された。その液体とは、ケロシンである。

ケロシンは無色透明で、紛らわしいことに見た目は水とそっくりだ。ならば、隠し持ったる大量のエネルギーは、あのパワーは、いったいどこにあるのだ？　あれだけのエネルギーを内に抱えているのになぜ、何と言うか、ねっとりして危なそうな見てくれではないのか？　それになぜ、離陸前の安全に関する説明で触れられないのだ？

ケロシンを拡大して原子のスケールで眺めたなら、スパゲッティーのような構造が見えてくるだろう。鎖一本一本の背骨をなしているのは炭素原子で、どれも隣の炭素と結合している。各炭素には水素原子が2個、両端だけ例外で3個付いている。このスケールであれば、ケロシンと水の区別は簡単だ。水の中にスパゲッティー構造は見られず、代わりに小さなV字形の分子（酸素原子1個に水素原子2個の付いたH_2O）が混沌と入り乱れている。このスケールで見たケロシンに似ているのはむしろオリーブ油で、入り乱れているのはやはり炭素ベースの分子だ。ただし、ケロシンの鎖がスパゲッティー状なのに対し、オリーブ油の鎖は枝分かれし、くねっている。

オリーブ油は分子構造がケロシンよりも複雑なので、互いにぶつからないように、身をよじってすれ違うのが難しく、そのためケロシンよりも流れにくい。言い換えると、オリーブ油はケロシンよりも粘性が高い。ともに油であり、原子レベルでの見た目はわりと似ているのだが、構造が違うので、オリーブ油はどろっとしているのに、ケロシンは水のように注げる。この違いは、それぞれの油の粘性ばかりか引火性をも左右している。

ペルシャの医師・錬金術師のアル＝ラージーが、自身によるケロシンの発見を9世紀の著書『秘伝の書（*Book of Secrets*）』に記している。彼は当地にあった天然の泉に興味を抱いたのだが、湧き出ていたのは水ではなく、黒くてねっとりした硫黄質の液体だった。当時、瀝青（れきせい）のようなこの物質は、汲み上げられて実質的にアスファルトの古代版として道路に使われていた。アル＝ラージーは、今では蒸溜と呼ばれている特殊な化学的手法を考案し、この黒い油を分析した。彼はこの油を熱し、出てきた気体を集めた。集めた気体を再び冷やすと、気体はまた液体に戻った。こうして最初に抽出された液体は黄色くて油っぽかったが、蒸溜を繰り返すうちに無色透明でさらりと流れる物質になった。彼はケロシンを発見したのだった。

この液体がやがて世界に及ぼすことになる貢献の全貌など、あの時代のアル＝ラージーには知る由もなかったが、彼はそれが引火性であること、そして無煙の炎をつくることは知っていた。これは現代の基準に照らすとささいな発見に思えるかもしれないが、屋内で光をつくることはどの古代文明でも大きな課題だった。オイルランプは当時最も洗練された発光テクノロジーだったが、それまでは油に火を着けると光に負けず劣らず煤（すす）が出ていた。無煙のオイルランプは革命的なイノベーションとなるはずで、その重要性たるや、『千夜一夜物語』の「アラジンと魔法のランプ」で不朽の名声を与えられているほどだ。物語でアラジンはオイルランプを見つけるのだが、それは魔法のランプで、アラジンがそれをこすると屈強な魔人が姿を現す。魔人は当時の神話によく登場しており、無煙の炎でできた超自然的な存在だとされている。この物語の魔人は、ランプの持ち主が命じたことをかなえるという驚異の能力の持ち主だ。この新しい液体の重要性、そして無煙の炎をつくれるという性質が、錬金術師アル＝ラージーに理解されなかったはずがない。ではなぜペルシャ人は、この新しい抽出液を使い始めなかったのか？ 理由のひとつは、彼らの経済と文化におけるオリーブの木の重要性だった。

進歩するオイルランプ

9世紀のペルシャで、オイルランプの燃料と言えばオリーブ油だった。オリーブの木はかの地に生い茂っており、乾燥に強く、実を絞ると油がとれた。20個ほどの実でティースプーン1杯分

アル＝ラージーの時代に使われていた古代のオイルランプのレプリカ。

のオリーブ油になり、標準的なオイルランプを1時間灯すことができた。ということは、平均的な家庭で夜に光が5時間必要だとすると、1日にオリーブの実が100個、年にすると約3万6000個が、ランプ1台だけで必要となる。国じゅうを照らすのに十分な油を生産するため、ペルシャ人は広大な土地と長い時間を必要とした。オリーブの木は概して20年は実をつけないからだ。ペルシャ人はまた、この貴重な資源を奪い取ろうと画策しそうな輩から領土を守らなければならなかった。そのためには組織化された都市が必要となり、その住民に調理油と光が行き渡るようにするため、オリーブがさらに入り用になった。軍隊を支えるために民は税を納めなければならず、ペルシャで税を納めると言えば、それはとりもなおさず得られたオリーブ油から一定の割合を国に納めることだった。というわけで、もうおわかりのとおり、オリーブ油はペルシャの社会と文化で、そしてあらゆる中東文明で中核をなしており、その状況はエネルギー源かつ税収になる代用品が見つかるまで続いた。アル＝ラージーの実験によって、そんな代用品がまさに彼らの足元にあることが実証されたのだが、足元にもう1000年留まることになる。

一方、オイルランプは進歩した。9世紀のオイルランプの設計は、見かけはシンプルだが何ともよくできている。オリーブ油が器いっぱいに入っているとしよう。ただ火を着けようとしても、かなり大変なはずだ。引火点がとても高いからである。引火性の液体の場合、引火点とは空気中の酸素と自然に反応してぱっと燃え上がる温度のことで、オリーブ油の場合は315℃だ。そのため、オリーブ油での調理はとても安全で、台所でこぼしても引火しない。それに、食材を揚げるのに必要な温度はせいぜい200℃前後と、オリーブ油の引火点よりも100℃も低く、油に引火させることなく調理するのが易しい。

だが、315℃になると、器に入れたオリーブ油が燃え上がり、大量の光が放たれる。当然危ないが、炎は長続きしない。燃料があっという間に使い切られるのだ。照明用にオリーブ油を燃やすならもっといい方法があるのに、とお思いに違いない。実際そのとおり。ひもの切れ端を持ってきて油に浸し、先端だけ外に出して火を着ければ、明るい炎がひもの先端に灯り、器いっぱいの油を熱する必要はない。炎をつくっているのはひもではなく、ひもからしみ出す油だ。実に巧みだが、これで終わりではない。燃やし続けても、炎が油のほうへ下りていかない。逆に、油のほうがひもを上ってきて、先端に達して初めて火が着く。この仕組みのおかげで、炎は何時間も持つ。さらに言えば、器に油がある限り持つ。この作用は毛細管現象と呼ばれている。油が重力に逆らって自発的に動くというのも奇跡のようで、実は液体の基本原理のひとつであり、毛細管現象が起こるのは液体に表面張力と呼ばれるものがあるからだ。

流れるという性質を液体に与えているのはその構造である。液体は、無秩序な気体と、（分子から見ると）びくともしない牢獄のような固体との中間状態にある。気体の分子には、ばらけて勝手に動けるだけの熱エネルギーがある。おかげで気体は活発に動き、広がって空間全体を満たすが、構造はないに等しい。固体の場合、原子や分子どうしの引力は持ち合わせている熱エネルギーよりもはるかに大きく、しっかり結合する。そのため固体は構造こそさまざまあれど勝手な動きはほぼ皆無で、たとえば器を手に取れば器をなす全原子が一体となって持ち上がる。液体はこの2つの中間の状態だ。原子には、隣の同胞との結合を一部切れるくらいの熱エネルギーはあるが、全部切って気体になれるほどはない。そのため、液体のままでいるが、中では自由に動き回れる。分子が互いに結合をつくったり切ったりしながら泳ぎ回る、という物質の一形態。それが液体である。

液体表面の分子の置かれる環境は、内部の分子とは違う。表面の分子はほかの分子にすっかり囲まれているわけではなく、内部の分子よりも概して結合が少ない。分子にかかる力に液体の表面と内部とに差があることで、張力が生まれる。これが表面張力だ。強さは微々たるものだが、小さなものにかかる重力に抗えるくらいは大きい。このおかげで池の表面を歩ける昆虫もいる。

水面を「歩く」アメンボの様子をよく見ると、脚が水の反発を受けているのがわかる。水とア

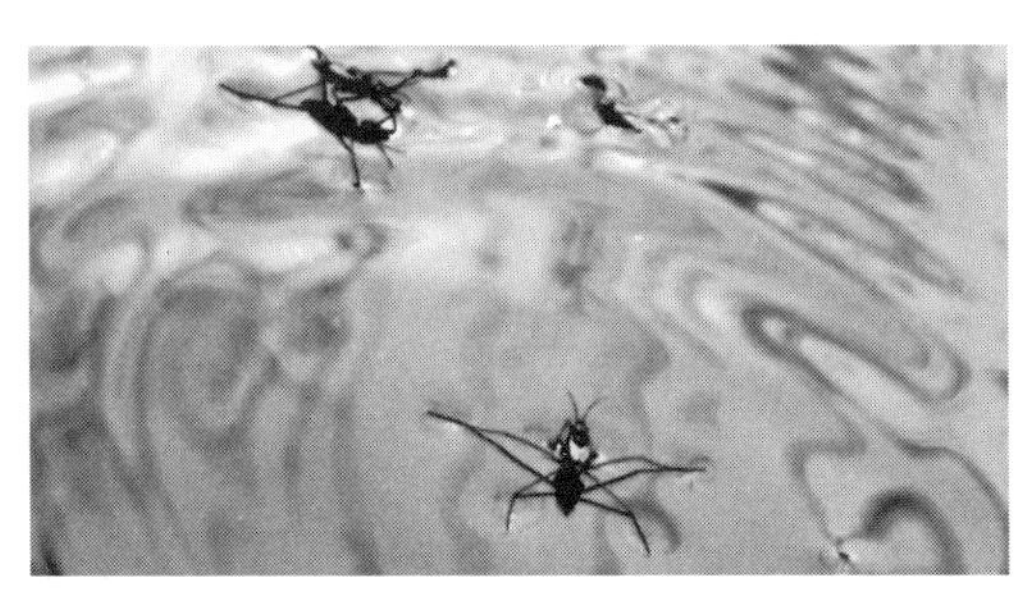

水面を歩くアメンボ。

メンボの脚とのあいだで表面張力が反発力を生み、それが重力に逆らって働いているからだ。液体と固体の相互作用のなかには、逆に働いて分子間で引力を生むものもある。水とガラスの組み合わせがそうで、水の入ったグラスを見れば、水がガラスと接するところで水面の端が引き上げられているのがわかるだろう。この曲面をメニスカスと言い、やはり表面張力の作用である。

まさにこの技を使いこなしているのが植物だ。植物は、水を地面からその体へ重力に逆らって汲み上げるのに、根から茎を通って葉まで走る極細の管からなる配管系を使う。管が細いほど、管の内面の表面積と液体の体積との比が大きくなり、作用が強まるのだ。このことを活かしているのが市販の窓拭き用「マイクロファイバー」クロスで、植物の管に当たる極微の通り道が備わっている。この通り道が水を吸い上げ、拭き取り性能をアップさせているのだ。キッチンペーパーも同じ仕組みでこぼれた液体を拭き取る。どれも毛細管現象の実例、つまりオイルランプで油に芯を上らせているあの表面張力の作用なのである。

表面張力がなかったなら、ロウソクは機能しない。ロウソクの芯に火を着けると、熱がロウを融かし、ロウの液だまりができる。この液体のロウが極微の通り道を伝って芯をのぼり、炎のもとへたどりつく。こうして、燃やすための液体のロウが炎へ次々と補給される。適切な材料を芯に選べば、炎はロウの液だまりを維持できる程度に熱く燃えて、燃料を絶やさないようにする。見かけによらず複雑なこのシステムは自動調節式で、私たちの介入をほとんど要さないことから、ロウソクは今の思われようとは違って、実際には紛れもなくテクノロジーの産物だ。

魔人が出てきた

世界中で、何千年も、屋内照明の仕組みと言えば毛細管現象だった。それはロウソクについてもしかり、オイルランプについてもしかりで、この2つのテクノロジーがないと夜は漆黒の闇になった。ご想像に難くないと思うが、オイルランプがよく用いられたのは油が豊富な地域、ロウソクの場合はロウや動物性の脂がたやすく手に入る地域だった。だが、あれほど巧みなロウソクやオイルランプにも欠点があった。火事の危険があるのは当然として、煤が出ること、炎が暗いこと、においがすること、そして費用がかかることだった。そのため、もっと安上がりで安全で優れた屋内照明が常に探し求められていた。アル＝ラージーが9世紀に発見したケロシンこそ、誰かがそうと気づいていれば、その解決策になったはずなのだが。

機内では離陸前の安全に関する説明の真っ最中だ。ケロシンの重要性については客室乗務員も無視しており、ここまで触れる気配もない。この革命的な物質が今まさに翼の下でジェットエンジンに噴射され、そうして得られる力で機体は地上を滑走路まで走行しているというのに。説明は代わりに「客室内の気圧が低下した」場合へと移る。私はイギリス人として、この控え目な言い回しには好感を持っている。大ごとではなさそうに聞こえて、これはつまり、高高度を飛行中に客室に突然穴があいたり亀裂が入ったりして、シートベルトをしていなかった乗客乗員もろとも機内から空気がすっかり噴き出ていったあとの話だ。その場合、普通に呼吸できるほどの酸素がないので、酸素マスクが天井から落ちてくるようになっている。機体はすぐさま急降下を開始し、酸素の豊富な低高度を目指す。低高度に達した段階で生きていた人はもう大丈夫だ。

酸素不足はいにしえのオイルランプでも問題だった。あの設計では完全燃焼させるのに十分な酸素を燃料に送り込めず、そのため炎が暗めになる。これはつい最近の18世紀まで問題だったのだが、スイスの科学者アミ・アルガンが、筒形の芯を透明なガラスで覆って保護する新タイプのオイルランプを発明した〔アルガンランプなどと呼ばれた〕。空気が炎の中央を通り抜けられる設計になっており、おかげで酸素の供給量が、ひいてはオイルランプの効率と明るさが劇的に向上して、彼のランプはロウソク6~7本分の威力を発揮した。このイノベーションをきっかけに、ほかにも数多くの発明がなされ、やがてオリーブ油などの植物油は理想的な燃料ではないことがはっきりした。光をもっと明るくするにはさらなる高温が必要で、そのためには毛細管現象がもっと速くなければならないのだが、その速さは液体の表面張力と粘性に左右される。安くて粘

ジョン・ウィリアム・ヒル画『マッコウクジラの捕獲』(1835)。

性の低い油を探すべくさまざまな試みがなされ、悲しいかな、多くのクジラが死んでいった。

鯨油はクジラの脂身を煮てつくり、そうして採れる油は透明で蜜のような色をしている。何しろ魚臭くて調理や食事には向かないが、引火点は230℃で、粘性が低く、オイルランプにぴったりだ。

鯨油のアルガンランプでの使用は18世紀後半、特にヨーロッパと北米で急速に普及し、1770年から1775年まで、マサチューセッツの捕鯨業者は毎年4万5000バレルの鯨油を生産して需要を満たしていた。屋内照明の需要が拍車をかけて、捕鯨は一大産業となり、そのせいで絶滅しかけたクジラもいた。19世紀までに25万頭を超えるクジラが鯨油目的で殺されたと推定されている。

こんなことを続けていられるはずはなかったのだが、屋内照明向けの需要は高まるばかりだった。人口が増え、裕福になるにつれ、教育の重要性が増し、日没後の読書や娯楽の文化が広まった。そのため油の需要が増し、この需要を満たす手立ての考案を求める圧力が発明家や科学者に対して強まった。そんななか、スコットランドの化学者ジェイムズ・ヤングが1848年に、オイルランプで燃やすのに適した優れた性質を持つ液体を石炭から抽出する方法を発見した。ヤングは得られた液体をパラフィン油と呼んだ。カナダの発明家エイブラハム・ゲスナーが同じ手法を発見しており、その産物を彼はケロシンと呼んだ。どちらの発見も無用の長物となりかねなかったのだが、実際にはその直後にアメリカで南北戦争が始まった。捕鯨船が軍事目標となり、ランプ用のほかの油には税が課せられたことで、この新しいケロシン産業に足がかりを見つけるチャンスが巡ってきた。だが本格的に花開いたのは、発明家が石炭ではなく炭鉱周辺で見つかる黒い油、すなわち原油を試し始めてからだった。黒くて、臭くて、粘つく物質である原油を、彼らは地中から汲み上げなければならなかった。そのうえ、使えるようにするには、アル＝ラージーがまさにこのために初めて用いた古代の技法である蒸留を利用する必要もあった。ところが、蓋を開ければこれが実に大きな利益をもたらした。魔人がとうとう本当にランプから出てきたのだった。

一方、私の乗った飛行機では、ケロシンについてまだ一言もない。安全に関する説明はお決まりの非常口の話に移っており、目の前の客室乗務員が腕を伸ばしてその場所を指さしている。アナウンスによれば、非常口は私の座席の後方に2箇所、機体の前方に2箇所、そして翼の上に2箇所ある。私はこう付け加えたくなる。「また、お足元の燃料タンクに5万リットル、そして本機の両翼にそれぞれ5万リットル、ケロシンが積載されております」。そんな趣旨のことを私はつぶやいたらしい。あとでスーザンという名前を知ることになるお隣さんの注意を引いたのだ。スーザンが搭乗後初めて、読んでいた本から目を上げる。そして、かけているメガネの赤い縁越しにほんの一瞬だけ私の目を見て、読書に戻っていく。あの一瞥は時間にして1秒もなかったはずだが、明らかにこう言っていた。「リラックスしてください。飛行機での移動は長距離旅行として最も安全な形態です……ご存じでしょうか、毎日100万人以上が成層圏を飛んでいます……悪いことが起こる確率はごくわずか。いいえ、ごくわずかよりも小さいくらい。ですから座席に深く腰かけて、気を楽にして、読書でも」。一瞥で伝えるにしては情報量が多いことは承知しているが、信じてほしい、彼女はこれだけのことを語っていた。

ガソリンとディーゼル油のあいだに

とにもかくにも、私の頭に浮かんでくるのはケロシンのこと、そして19世紀中頃の発明家たちが製油に用いた優れた手法、すなわち蒸留のことばかりだった。油の蒸留にアル＝ラージーが用いた器具がアランビックで、現代では蒸留装置（蒸留器）と呼ばれているものに当たる。製油所で高くそびえ立つ煙突のような塔がそれだ。

原油はさまざまな形状の炭化水素分子の混合物で、分子の形状にはスパゲッティーのように長いものもあれば、小さくてかさばらないもの、環になっているものもある。どの分子も背骨をな

製油所。背の高い煙突のような筒が蒸留装置。

しているのは炭素原子で、それぞれ隣と結合している。各炭素原子には水素原子が2個付いているが、分子の形状や規模は多種多様だ。分子の規模は炭素原子がわずか5個というものから何百個というものまである。ここで、炭素原子が5個を下回る炭化水素分子はほとんどない。そこまで小さいと、たいてい気体として存在するからだ。メタン、エタン、ブタンがそれに当たる。分子が長いほど沸点が高く、そのため室温で液体のものが増える。炭素原子40個までの炭化水素分子がそうで、それよりも大きくなるとほとんど流れず、アスファルト〔瀝青の一種で、ビチューメン、ピッチなどとも呼ばれる〕となる。

原油の蒸留では、小さい分子が最初に抽出される。炭素原子が5～8個の炭化水素分子は、引火性の実に高い透き通った液体になる。引火点は−45℃で、氷点下でも簡単に火が着く。あまりにたやすく火が着くので、この液体をオイルランプに使うのはきわめて危険だ。そのため、石油産業の初期には廃油として捨てられていた。のちにこの液体の

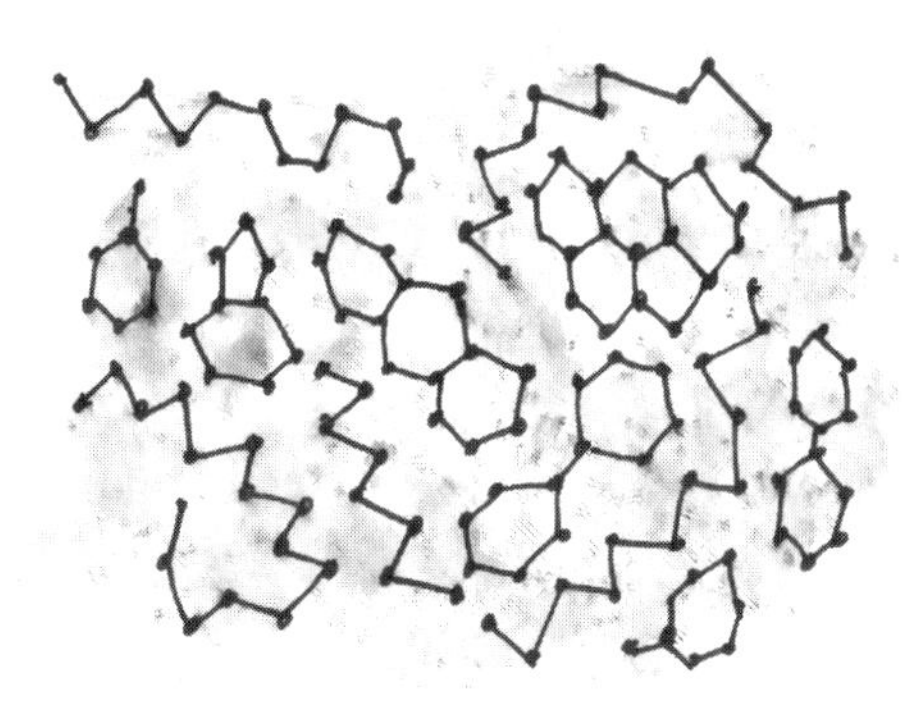

原油に含まれるさまざまな炭化水素分子（炭素原子のみ図示）。

長所の理解が進みだし、評価されるようになった。なかでも重宝されたのが空気と混ぜたときの火の着き方で、ピストンを動かせるほどの高温のガスが生じた。この液体はのちにガソリンと呼ばれるようになり、ガソリンエンジンの燃料として使われ始めた。

炭素原子が9〜21個というもう少し大きな炭化水素分子は、ガソリンよりも引火点の高い透き通った液体になる。蒸発はゆっくりで、そのため火が着きにくい。だが、各分子がかなり大きいので、酸素と反応すると大量のエネルギーを高温のガスとして放つ。ただし、空気中に噴霧しない限りは火が着かず、高濃度になるまで圧縮してようやくぱっと燃える。これこそルドルフ・ディーゼルが1897年に発見した原理で、のちに彼の名が冠されたその液体が、20世紀に最も成功したエンジンという彼の大発明の基盤となった。

だが石油産業の初期である19世紀の中頃、ディーゼルエンジンはまだ発明されておらず、オイルランプ用の引火性物質が早急に必要とされていた。そんな油を探し求めているうち、生産者が炭素原子6〜16個という炭化水素からなる液体をつくった。この液体はガソリンとディーゼル油（軽油）のあいだに当たる。すぐに蒸発して爆発性の混合物をつくることはないというディーゼル油の長所を持ち合わせていながら、粘性の非常に低い、水のような液体だった。そのため、毛細管作用にきわめて有利で、炎がとても明るかった。安くて効果があり、オリーブの木にもクジラにも頼る必要がなかった。それがケロシンという完璧なランプ油だった。

それはいいとして、安全なのか？などと心がとりとめもなくさまよっていた——スーザンの暗黙の指示にしたがってリラックスしようと努めていた——ところへ、意識がふいに客室乗務員へ戻る。安全に関する説明は救命胴衣の話に移っており、彼らは揃って実物を身に付け、ホイッスルを吹くしぐさをしている。海上への不時着で生き延びて海面に浮きながら、ことによると夜に、あのホイッスルを吹いていると、どのような心持ちになるのだろう？　それに、そうした不時着で燃料タンクのケロシンはどうなるのか？　爆発の可能性やいかに？

確実に爆発しそうな液体をひとつ知っている。ニトログリセリンだ。ケロシンと同様、無色透明で油っぽい液体だ。初めて合成したのはイタリアの化学者アスカニオ・ソブレロで、1847年のことだった。彼は命を落とさずに済んだが、それは奇跡と言える。というのも、ニトログリセリンはとんでもなく危なくて不安定な化学物質であり、いつなんどき爆発するかわからない。ソブレロは自分の発見した物質の考えられる用途に恐れをなし、1年間秘密にしていたうえ、そ

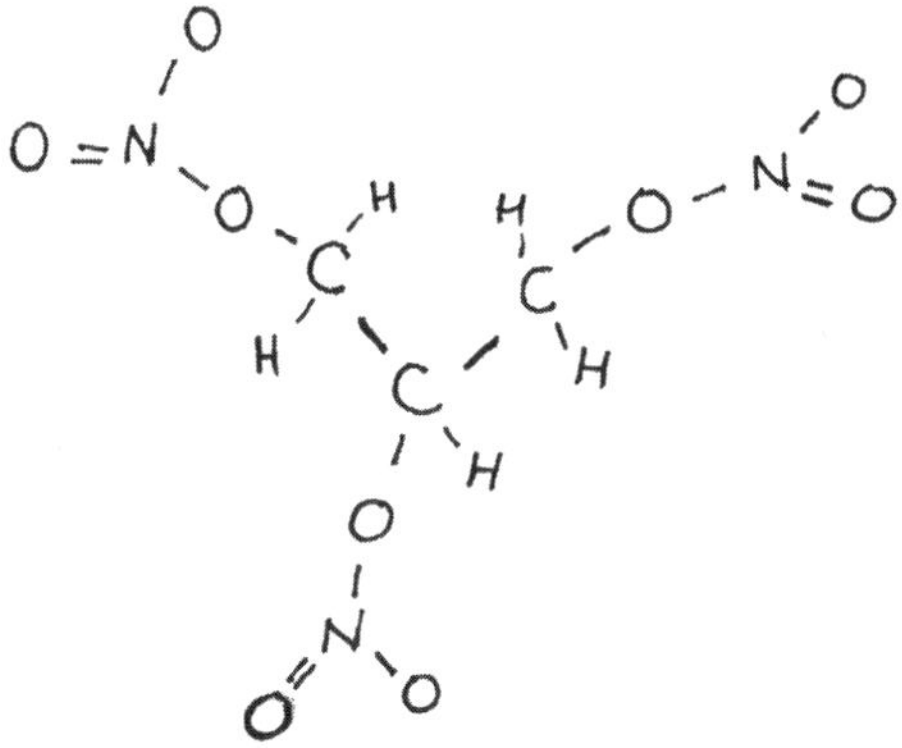

ニトログリセリンの分子構造。

の後も他人がそれをつくるのを思いとどまらせようと努めた。だが、同門のアルフレッド・ノーベルはその可能性を見抜き、火薬の代わりになると考えた。そして、のちにそれを比較的安全に扱える形でつくることに成功した。ノーベルはあの液体を偶発的な爆発の起こらない固体に変えることで（だが、弟のエミールは爆発事故で命を落とした）、ダイナマイトをつくったのだった。鉱山の経営では、トンネルや立坑や地下空洞を掘るのにそれまで人力を頼りにしていたのだが、ダイナマイトは鉱業を一変させ、彼は巨万の富を築いた。そして自分の財産を——というか、少なくともその一部を——使って世界一有名な国際賞を創設した。それがノーベル賞である。

　ガソリンやディーゼル油やケロシンと同様、ニトログリセリンは炭素と水素でできている。ただし、ほかに付いているものがある。酸素原子と窒素原子だ。ニトログリセリンが不安定なのは、酸素と窒素の存在、そして分子におけるその位置のせいで、接触や振動によって圧力がかかると分子が簡単に崩壊する。すると、窒素は同じ原子どうしで結び付いて気体となり、分子内の酸素原子は炭素と反応して二酸化炭素というやはり気体となる。また、酸素は水素と反応して水蒸気をつくり、残りの酸素も気体になる。分子が分解すると、ニトログリセリン内で衝撃波が発生し、これが近場の分子を崩壊させ、さらに気体をつくって衝撃波を持続させる。やがて、ニトログリセリン分子すべてが音速の30倍という速さの連鎖反応で崩壊し、液体がほぼ一瞬にして高温の気体に変わる。できる気体の体積は液体だったときの1000倍ある。つまり、急速に膨張して高温の大爆発を引き起こす。第2次大戦中の破壊の大半は、ニトログリセリンを原料とする爆発物が幅広く用いられた結果だ。

途方もないパワーでも爆発しない燃料

機内に持ち込める液体の100ミリリットルという制限には、ニトログリセリンのような液体の爆発物が、機体を破壊できるほど大量に持ち込まれるのを防ぐという狙いがある。100ミリリットルでもニトログリセリンはもちろん爆発するが、飛行機を破壊するほどのエネルギーはない。ところが、ケロシンは1リットル当たりニトログリセリンの10倍のエネルギーを持っており、旅客機の燃料タンクにはそれが1万リットルの単位で入っている。そう思うと酔いも醒めそうだ。

ただし、ケロシンは爆発物ではない。言い換えると、自然に爆発することはない。ニトログリセリンとは異なり、ケロシンの分子構造には酸素や窒素の原子が含まれていないので、分子として安定で、簡単には分解しないのだ。だから、ケロシンを何かで叩いたりどこかに叩きつけたりしても、ケロシンの風呂に入っても、爆発はしない。エネルギー量で劣る同類のニトログリセリンの場合とは違い、ケロシンのパワーを活かしたいなら働きかけが必要だ。酸素と反応させなければならないのである。ケロシンと酸素が反応すると、二酸化炭素と水蒸気ができるが、反応は使える酸素の量に左右されるので、燃焼を制御できる。

途方もないパワーを持っているうえ、抑えを効かせて燃やせることから、ケロシンはテクノロジーにとって重要な液体だ。文明世界では現在、毎日10億リットルほどのケロシンを主にジェットエンジンや宇宙ロケットで燃やしているが、照明や暖房に使っている国も今なお多く、たとえばインドでは3億を超える人々が家庭用の照明にケロシンランプを用いている。

こうして私たちはケロシンを手なずけてきた、と思いたいところだが、ケロシンにもやはり災いを招く面がある。２００1年9月11日のおぞましい出来事がその実例だ。あの日、私は家にいて、信じられない思いでテレビを食い入るように見つめていた。実を言うと、ツインタワーの片方に2機目が突っ込んだシーンを生で見たのかあとからニュースで見たのか思い出せないのだが、とにかく仰天した。口もきけない状態で、何が起こっているのかを理解しようとしていた。2棟とも火事になっていたうえ、旅客機が標的に突っ込んだ場所がほかにもあると報道されていた。あれ以上ひどいことは起こりそうにないと思っていたら、実際にはなった。片方のタワーが崩壊したのだ。巨大な物体にしかなしえないようなスローモーションで。そして、もう片方のタワーも崩れ去った。こちらには心の準備ができていたものの、やはりあぜんとさせられた。

ツインタワーの崩壊を招いたのは、機体から漏れ出た燃料だった。爆発のせいではない。ケロシンは安定な物質だ。ＦＢＩの報告書によると、ビルの損壊した階を吹き抜ける風の酸素がケロシンと反応し、損壊した階の温度が８００℃を超えた。それでも、ビルの鋼鉄製の骨組みが融けたわけではない。鋼鉄の融点は１５００℃を超えている。だが、８００℃になると鋼鉄の強度が本来の半分近くにまで低下し、そのせいで骨組みがゆがみ始めたのである。どこかの階がゆがむと、それよりも上の階の重みがそっくり急に直下の階にのしかかり、今度はその下の階がゆがんで、とカードの家の場合と同じように続いていく。ツインタワーの崩壊では、ニューヨーク市消防局の消防士３４３人を含め、合わせて２７００人以上が亡くなった。このテロ攻撃は世界史において重大な意味を持つ出来事と言える。戦争とそれに伴うあらゆる憎悪のきっかけとなったうえ、ツインタワーの崩壊が民主主義文明のもろさを鮮烈に象徴したからだ。そして、この破壊の瞬間に大きな役割を果たしていたのが、旅客機に積まれていたケロシンだったのである。

安全に関する説明でケロシンに言及したらどうかと私が思う理由がおわかりいただけただろうか。だが、機内での説明は終わった。積まれている15万リットルのケロシンについても、そしてケロシンの二面性についても、一言もないまま。ケロシンはありふれた透明な油で、火の着いたマッチを燃料タンクに投げ入れても発火しないほど非常に安定だが、適量の酸素と混ぜると、爆発物であるニトログリセリンの10倍のパワーを発揮する油になる。このことにお隣のスーザンはひるむ様子もなく、相変わらず読書に没頭している。

離陸前の安全に関する説明で明言されることはないが、ケロシンは機体のどこかに隠し置かれている。そんな思いが頭をよぎる。考えてみれば、安全に関する説明は万国共通の儀式で、民族、国籍、性別、宗教を問わず誰でも知っている。これに全員が参加してから、ケロシンに点火され、機体は飛び立つ。海上への不時着をはじめ、あの説明で警告される非常事態はきわめてまれで、旅客機に生涯毎日乗ったとしても経験しそうにない。つまり、大事なことはほかにある。儀式というものの例に漏れず、文言は文書に定められており、決まった一連の身振り手振りがなされ、小道具が使われる。宗教儀式の場合、小道具はたいていロウソク、香炉、杯で、離陸前の安全の儀式では酸素マスク、救命胴衣、シートベルトだ。離陸を控えた儀式の発するメッセージとは、〝あなたはこれからきわめて危険なことをしようとしているが、その行為は技術者によってほぼすっかり安全になっている〟というものだ。この「ほぼ」を強調すべく、先ほど挙げた小道具を使い、あのような手の込んだ身振り手振りをする。わが身の安全の責任がみずからにある普段の暮らしを、この儀式をもって今の状況とはっきり区別する。あなたは所定の人員と彼らの操る工学システムに主導権を明け渡す。すると彼らが、恐ろしいほどのエネルギーを持つある液体を利用して大気圏内を猛スピードで突っ切って、あなたを目的地へ送り届ける。つまり、あなたは彼らを絶対的に信頼しなければならない。命運は彼らの手中にあるのだ。というわけで、どのフライトでも離陸に先だって行われるこの儀式は、本当は信頼の儀式なのである。

客室乗務員が通路を歩きだし、乗客のシートベルトが正しく装着されていること、そして手荷物が収納されていることをこれ見よがしに確認していく。ということは、安全の儀式も終わりに近い。これが最後の祝福だ。私は通りがかった1人に向かって厳かにうなずく。機体は滑走路に到着し、離陸に備える。1000年を超える知識の蓄積を活かして、ケロシンという液体をフライトに変えようとしている。

風船を膨らませて手を離し、それがおならのような音とともに部屋の中を飛び回る様子を見たことがあるなら、ジェットエンジンの仕組みについてかなり良く理解できるだろう。圧縮された空気が特定の方向へ噴射されると、風船はその逆方向へ進む。作用には大きさの等しい逆向きの反作用が必ず働く、というニュートンの運動の第3法則のとおりだ。だからといって、飛行機の推力になるほど圧縮空気を積むというのもあまりに効率が悪い。幸い、イギリスの技師フランク・ウィットルがこの問題の解決方法を考案した。彼はこう考えた。空はそもそも空気に満ちているのだから、飛行機が空気を抱えている必要はない。飛びながら空中の空気を圧縮し、それを後方へ噴射すれば事足りる、と。そのためには、空気を圧縮する装置があればいい。その圧縮装置こそ、搭乗時に翼の下に付いているのが見えるあれだ。巨大なファンに見え、実際にそうなのだが、見えていない内部に10以上のファンがあり、それぞれが手前のよりも小さくつくられている。これらの役目は空気を吸い込んで圧縮することだ。圧縮された空気はそこからエンジン中央部の燃焼室へ送り込まれ、ケロシンと混ぜられて点火され、それによって生まれる高温のガスのジェットがエンジン後方から噴き出される。また、巧みな設計によって、圧縮された空気のエネルギーが一部、エンジンから出ていく途中でタービン一式を回すのに使われるのだが、そのタービンこそエンジン前部の圧縮部を回転させているタービンだ。つまり、空を飛んでいる最中、エンジンは高温のガスからエネルギーを回収し、空気をさらに集めて圧縮するのに使っているのである。

エンジン後部から噴射される空気の力で、私の乗った重量約250トンの機体が加速していく。加速中の飛行機の窓から外を見ても、動いている速さを感じ取るのは難しい。滑走路の凹凸に合わせて翼が上下に揺れ動き、飛行中に見せるはずの工学の粋がまったく感じられない。時速130キロ近くになると、客室内のがたつきやきしみの音が、こちらを不安にするほど大きくなり始める。飛行機初体験だったなら、この段階で、本当に離陸するのかと本気で疑ったに違いない。

それでも、ケロシンに秘められた大量のエネルギーによって機体がぐんぐん加速する。持っているエネルギーがニトログリセリンよりも多い燃料が毎秒4リットル使われていく。機体はそろそろ長さ3500メートルを超える滑走路の端に時速250キロ以上で差しかかる。言うまでもなく、フライトの最も危険な瞬間だ。滑走路の端まで残りわずかしかなく、すみやかに浮上しなければ滑走路の端に達し、その先の建物に1万5000リットルの液体ケロシンを燃料タンクに積んだまま突っ込むことになる。だが、堂々と、湖を飛び立つ雁(がん)のように、私たちは空へと舞い上がり、地上のあらゆる建物や車や人から数秒とかからず離れていく。飛行機に乗っていて私がいちばん好きな瞬間だ。特に、ロンドンに垂れこめる低い雲を突き抜けてその上の明るい晴れた空へ飛び出すのが。この日のフライトもそうだった。別の存在領域に突入したような感じがして、何度体験しても飽きない。

飛行機は、ある意味、現代の魔法のランプだ。魔人に当たるのはケロシンで、これが世界中どこへでも行きたいところへ連れて行ってくれる。空を飛んで。それも魔法のじゅうたんに乗ってではなく、もっと快適な客室で座席に座って。客室内は極端な寒さと風から守られて居心地が良い。移動のあいだじゅうリラックスしていられるのはもちろん、寝ていることさえできるほどだ。

当然ながら、魔人と呼ばれるものの例に漏れず、暗い面はある。私たちはケロシンのパワーに惚れ込んでいるが、飛行は、それどころか原油を頼りとしているほかの製品の使用も、地球の気候を乱している。ケロシンなどの油を燃やすことによる二酸化炭素排出のせいで、温暖化が急速に進んでいるのだ。私たちは現在世界中で油を毎日160億リットル消費している。魔人をランプに戻す手立てを将来見つけられるほど私たちが賢明かどうかは、間違いなく21世紀の最も重要な問題に数えられる。

だが正直言って、雲の上に達した私はそんなことを考えもしない。雲海に見とれながら、飲み物のサービスを楽しみに待っている。ワゴンは今、通路を順調にこちらへ向かっている。

第2章 陶酔……アルコールの風味と毒に魅せられる

エタノールと極性分子

巡航高度の1万2000メートルに達した頃、私は何ともいい気分で、窓側席から眼下の雲海を眺めている。日差しが窓から客室内に差し込んでくる。隣の席に目をやると、やはり窓の外を眺めていたお隣さんと目が合う。

「気持ちいいでしょうねえ、今飛び降りて、大きくてふわふわの暖かい雲に飛び込んだら」と私が言う。

「暖かくはないですよ」と彼女が言う。

「あ、そうですね。おっしゃるとおりです。失礼しました」

……なんということだ、本当にあんなこと言ってしまったのか？　ワインのせいだろうか？　もう頭まで回ったのか？　緑色の小さなプラスチックボトルのラベルを読んでみると、私の飲んでいる液体はオーストラリア産のワインで、ぶどうはシャルドネ、「フルボディ、バニラバターのフィニッシュ」とある。バニラの風味を感じられるかどうか、ひと口含んでみる。感じられない。酸味と花のような香りはわかる。ラベルにもう一度目をやる。アルコール度数は13パーセント。

アルコールは化学的な性質がケロシンと似ている。まず何と言っても、燃える。フランベのデザートを頼んだことがあれば、目にしたことがあるだろう。ああいう凝ったひと品で使われるのは普通ブランデーなのだが、それは度数が高いからだ。たいてい40パーセントあり、おかげでデザートの上で青みがかった炎が燃える。

純粋なアルコールも簡単に燃え、現に自動車の燃料として使われている。ブラジルはサトウキビからつくられるアルコールの最大の生産国であり、つくられたアルコールは輸送用の燃料にされている。ブラジルの持続可能なバイオ燃料経済は世界有数で、国内を走る乗用車の94パーセントの燃料としてかなりの量のアルコールが使われている。つくり方としては、サトウキビを搾って汁を出し、それをイースト菌で発酵させる。このプロセスはワインづくりやビールづくりと同じで、イースト菌が糖を食べてアルコールをつくる。バイオ燃料の場合、アルコールはこのあと精製され、純粋なアルコールにされる。バイオ燃料がブラジルのように普及している国はほかにない。化石燃料のほうがはるかに安くつくれるというのも一因だが、国内全土の輸送システムの維持に必要な規模でアルコールを生産するには広大な土地が要るからでもある。というわけで、世界中でアルコール用の作物は主に飲むために栽培されている。

アルコールは、ワイン、ビール、蒸留酒といった世界中で広く飲まれている酒の主成分なのだが、毒性がある。毒性がある（toxic）せいで、酒を飲むと酔っぱらう（intoxicate）。語源のとおりだ。アルコールに含まれる毒は神経系の働きを鈍らせるので、知覚機能や運動機能が失われ、自制が効かなくなる。驚くべきことに、こうした重大な生理作用がありながら、ほろ酔いのときは実に愉快な気分になる。私の場合は、緊張が和らぎ、物事をあまり心配しなくなり、にやける。量が進めば、下手な踊りを見境なく踊りだす。忙しかった長い1週間を乗り切って飲む酒ほどうまいものはない。「わたしを飲んで」とワインボトルが誘う。「飲めばしばらく違う世界に行けるわよ」

アルコールはある決まった種類の炭化水素分子の総称で、ガソリンやディーゼル油に似ているが、水素原子と酸素原子からなる部分が付いている。この部分はヒドロキシ基と呼ばれている。アルコールも種類が違うと分子サイズが違う。私たちが飲んでいる酒のアルコールには炭素原子が2個あり、エタノールと呼ばれている。エタノールは極性分子で、分子に電荷の偏りが見られる。アルコールの場合、その要因はヒドロキシ基だ。水分子にもヒドロキシ基があり、やはり極性分子である。この類似性ゆえ、エタノールは水に溶ける。酒瓶のラベルにアルコール度数が記載されていたら、飲もうとしている液体に溶けているエタノールの分量がわかる。私がちびちび飲んでいるこのシャルドネは13パーセントだ。

アルコール分子の片側は水に似ているが、もう片側に当たる炭化水素の背骨は、その構造が油

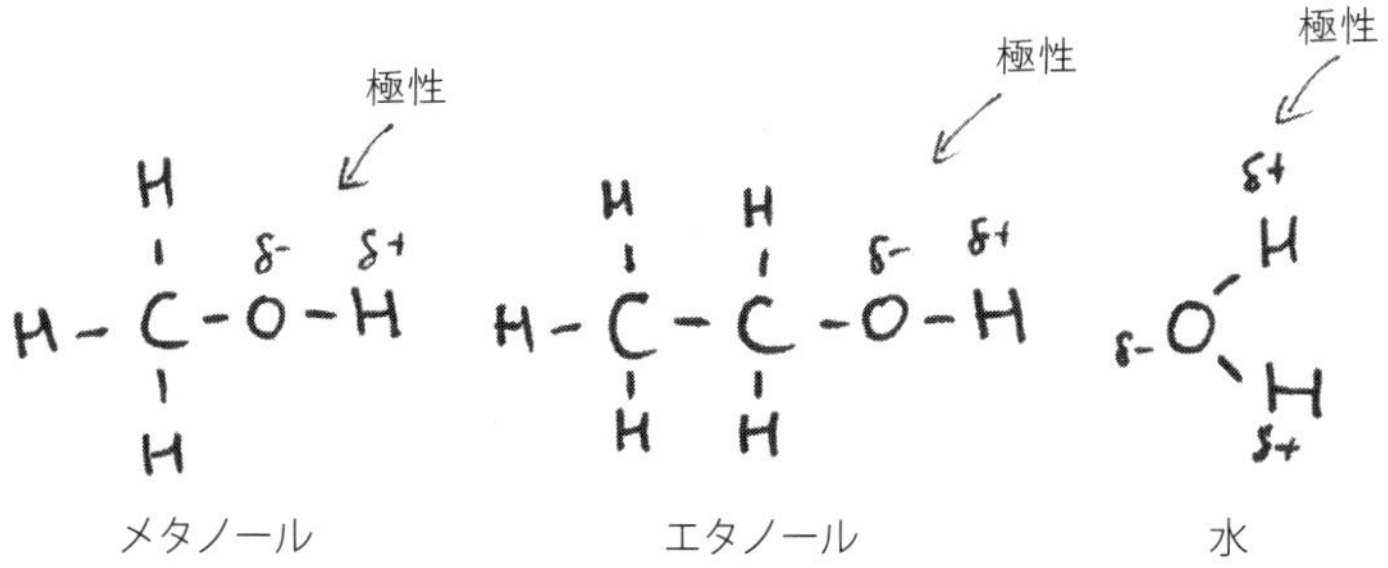

極性　極性　極性

メタノール　エタノール　水

メタノールとエタノールの化学構造の比較。どちらもアルコールで、メタノールには炭素原子が1個、エタノールには2個ある。ともに極性分子で、一端にヒドロキシ基OHがある。水も極性分子で、この類似性により、メタノールもエタノールも水とよく混ざる。

に似ているし、人体の内部で細胞を覆っている脂質分子の膜〔細胞膜〕とも似ている。もう片側が持つこの類似性により、エタノールは細胞膜の防御をかわし、小ささを活かして胃壁をすり抜け、血流に直接入り込める。ワインを飲んで吸収されるエタノールの2割ほどが、胃壁をすり抜けて血流に直接入り込み、だからアルコールの作用は飲むとほぼすぐ感じられる。

　スーザンに対するおかしなコメントはそのせいかもと思いつつ、彼女が迷惑がっているかどうか、隣の様子をちらりとうかがう。彼女は読んでいる小説に没頭している。髪は白髪交じりで刈り上げており、赤いフレームのメガネをかけ、黒いTシャツを着ている。歳は50代なかばか。Tシャツに抜け毛が何本か付いているが、本人の髪よりもずいぶん長い。パートナーのだろうか？　空港で行ってくるわねとか言いながらハグしたときに付いたとか。あるいは、飼い犬のかもしれない。

犬も酒を飲めば酔うので、お祝いの場でペットが飲むためのノンアルコールワイン市場が成長している。ノンアルコールワインは人間用にもあるが、経験から言えば、ワインとは似ても似つかぬ代物だ。それでも、本来のワインがぶどうの搾り汁の甘味とフルーティーな味わいとのバランスをとるのに、いかにアルコールに頼っているかはよくわかる。洗練さと権威をワインにまとわせているのはアルコールなのだ。アルコールがぶどうジュースを大人の飲み物に、言ってしまえば毒に変えているわけだが、この毒の魅力に私たちは喜んで屈する。

メタノールの悲劇

もう酔いがいくらか回ってきた気がするが、しばらく何も口にしていないので、これからさらに回るだろう。胃を通り抜けるのを遅らせる食べ物がなく、アルコールは今ごろ小腸へ向かっているはずだ。そこで私の血流に入り、続いて肝臓と相対する。肝臓の仕事はこの毒を取り除くことだが、肝臓が代謝できるエタノールの量は1時間にワイングラス1杯ほどだ（体格による）。それよりも速いペースで飲めば、処理能力を超える速いペースでエタノールが血流に入るので、ほかの臓器に侵入する余裕が生まれ、その威力を体じゅうで発揮する。たとえば、脳に対するアルコールの作用は人によって違うし、飲んだ量や精神状態、その他あれこれの生理機能によって違ってもくる。だが、基本的に、アルコールは神経系の働きを鈍らせ、抑制を緩め、気分を変える。

アルコールはほかの臓器にも作用する。心筋を一時的に弱めて鼓動の力強さをそぎ、血圧を下げる。血液が巡った末に肺にたどり着き、息から酸素を吸収するときには、アルコールが一部、血液から排出される二酸化炭素と一緒に膜を超えて飛び出す。息を吐くと、アルコールの蒸気が呼気に混ざり、だから飲んでいたことがにおいでわかるのだ。呼気にアルコールの蒸気が含まれているかどうかをチェックする、というのが酒気検査器の原理で、警察はこれを使って酔っぱらい運転らしきドライバーが実際に酔っているかどうかを確かめている。

酒臭い息のにおいはひどいものだが、エタノールのもう片側の、水ではなく油に似ている部分は打って変わって、芳香漂わせる液体をもたらす。香水である。ベルガモットやオレンジなどの植物を蒸溜した精油、ミルラなどの樹脂、ジャコウなどの動物由来の物質は、どれもアルコールに溶かして香水にできる。温かい人肌に香水をつけるとアルコールが蒸発し、肌に残ったオイルが空気中に少しずつ拡散してお好みの香りであなたを包む。出国ラウンジの免税店にうずたかく積まれたどの香水もアルコールで満たされている。どうしても酔いたくなったら、飲んでも構わない。ウォッカと同じ効き目があるだろう。だが、注意が要る。安い香水で使われるアルコールのなかには、メタノールが混ざっているものがあるからだ。

メタノールは最小のアルコール分子で、エタノールに炭素原子が2個あるのに対し、メタノールにはたった1個だ。このわずかな違いのせいで、メタノールの生理活性はエタノールと大きく異なり、毒性がはるかに強い。純粋なメタノールをショットグラスで1杯やれば完全に失明してもおかしくなく、3杯も飲めば命がなくなる。なぜかと言うと、体内に入ったメタノールは消化器系によってホルムアルデヒドとギ酸に代謝される。ギ酸は神経細胞、特に視神経を攻撃する。そのため、メタノールを飲みすぎると、視神経の劣化によって失明しうる。泥酔を意味するblind drunkという英語表現の由来だ。また、ギ酸は腎臓や肝臓も狙い、致命的になりかねない回復不能な損傷を与える。

メタノールはアルコール飲料、特にウォッカやウイスキーなどの蒸留酒をつくる過程で発酵中にできるが、蒸留において取り除かれるので、市販の蒸留酒で出くわすことはおそらくない。だが、バーボンでもウイスキーでも、蒸留酒を自家醸造する場合には十分な注意が必要だ。こうした酒をつくるとき、一般にはトウモロコシ、小麦、ジャガイモなどの穀物から取れるデンプンを発酵させる。すると、マッシュと呼ばれる低アルコールの混合液ができるので、それを蒸留器に投入して加熱し、アルコール度数の高いアルコール飲料にする。ここで、蒸留器から出てくる最初の液体は濃縮されたメタノールだ。だから捨てなければならない。経験豊富な自家醸造家は心得ているが、初めてつくったあとに命を落とす者が毎年後を絶たない。

安いアルコールを求めて、簡単に買えるアルコールベースの液体、たとえば凍結防止剤、洗浄液、香水に手を出す者もいる。これはとんでもないアイデアだ。においがひどかったりするから、というだけではない。飲用ではないので、含まれているメタノールが製造過程で除去されていないことがあるからだ。そのせいで悲劇的な事件が起こることがあり、たとえばロシアで2016年12月、香り成分入りのとあるバスオイルを飲んで58人が亡くなっている。命を奪ったのは香り付けに使われた化学物質ではなく、メタノールだった。

ワインの味わいとマランゴニ効果

機内では、飲み物を乗せたワゴンが再びやってくる。載っている酒類にメタノールはまず間違いなくほとんど、あるいはまったく含まれていない。私たちの席に差しかかった客室乗務員が、食事と一緒に飲み物はいかがと聞いてくる。スーザンは白ワインを頼み、私は赤にする。「その白のバニラ風味が私にはわかりませんでした」と彼女に声をかける。「あなたには味わえるといいのですが」。スーザンは微笑むと、ワインを注ぎ、グラスを私に向かって上げたが、特に何も言わず、読書に戻る。私が落ち着いてきたのを彼女は歓迎しているらしい。私もひと安心だ。アルコールはご存じのように、緊張を緩め、社会の潤滑油になる。毒だと言われればそのとおりだが、法律で認められている毒であり、社会にとっての利益のほうが引き起こされる問題よりも多い――というか、私たちは少なくとも自分たちにそう言い聞かせている。人は酔いが回ると態度が和らぐこともあれば、敵意を募らせることもある。どちらだったとしても、明快かつ合理的に判断する力も落ちてくる。ならばなぜ、酔うことの危険性は離陸前の安全に関する説明で触れられないのか？　酔った人はそうでない人よりも非常時に安全ではないはずで、判断力が落ちて他人に影響が及ぶのではないのか？　とはいえ、この疑問はあの説明が本当に安全に関するものであればの話で、先ほど触れたとおり、私はそうは思っていない。

ワインを飲んでも身の安全は高まらないかもしれないが、ワインの用途はほかにもあり、客室乗務員がそれとなく口にしていたのものそのひとつだ。ワインは昔から食事のお供で、それだけで飲んでもおいしいほかに、何とも効果的な口直しとして料理をいっそう楽しめるものにする。ワインの味わいをなす主な要素のひとつに渋味（収斂味）がある。口の中の辛くて乾いてざらつく感じのことで、ザクロやピクルスや熟していない果実はどれも渋味のある食材だ。ワインの場合、渋味の元はタンニンである。タンニン分子の出どころはぶどうの皮で、唾液に含まれ潤滑剤として働くタンパク質の作用を抑えて乾いたような後味を残す。ところが、ワインに含まれる穏やかな渋味は、脂っこい食べ物と合わせた場合は特に、好感をもって迎えられる。脂肪は口の中を滑らかにするが、料理を豊かでぜいたくなものに感じさせる一方で、多すぎると風味を隠し、粘つきや不快な脂っこさで口内を覆う。渋味はこの感覚を打ち消し、口の中をきれいにし、食べ物の後味があればすっかり取り去り、味覚をニュートラルな状態に戻す。

研究によると、口直しの効果が最も高いのは、脂っこい食べ物を口にしたあと、次のひと口の前に、渋味のある酒を口に含んだときだ。こうして交互にすることで、タンニンの多さに伴う口の乾く感覚も、脂分によるぬるりとした感覚も強まってこない。つまり、赤ワインをステーキにはもちろん、魚に合わせることは、サーモンのような脂っこい魚の場合も含めて、誰が何と言おうと理にかなっている。世間で赤は魚の繊細な味わいを凌駕すると思われており、そのため白が勧められる。だが、白の風味の特徴には味や香りに赤との重なり（フルーティーな味わい、バニラの香りなど）もあり、あの一般則は役に立たない。実際問題、食事のお供にワインを選ぶときには、酸味と甘味を考慮することのほうがはるかに重要だ。酸味はワインの酸っぱさ、甘味は口の中で感じる甘辛さの尺度である。世の中には、食材の苦味とのバランスが取れるワインを好み、辛口で酸味の強い一杯を食事に合わせたがる人もいるくらいだ。たとえば、スペインのリオハの風味豊かな白はグレーズドハムと良く合うし、ピノ・ノワールの赤は地中海産の魚のシチューと実に相性がいい。

多くの文化で、食事のお供はワインではなく、ウォッカなどの蒸留酒だ。蒸留酒は口直しとしての効果がとても高い。理由は含まれているエタノールの濃度がたいてい40パーセントと高いからで、これが渋味をもたらしている。また、蒸留酒は口の中で油や脂肪を、それらに伴う味もろとも溶かす。食事に純粋な蒸留酒を合わせる場合、風味がほとんどないので、ニシンの酢漬けのような風味の強い料理とぶつからないという利点がある。

純粋なウォッカに風味がほとんどないのは、においがほとんどしないからだ。基本的な味覚である塩味、甘味、酸味、うま味、苦味は口の中の味蕾で感じるが、食べ物や飲み物の持つ風味の複雑な特徴は、鼻の中にある何百種類もの嗅覚受容体で検知される。ゆえに、ワインの香りは重要とされ、だからこそ熱心な愛好家は飲む前に必ず香りを嗅ぐ。味わう風味のほとんどは、ワインのほのかな香りからくる。また、ワイングラスのデザインに大きな膨らみがある理由でもある。ワインの香りを保っておいしく味わえるようにとデザインされた器なのである。

風邪をひくと嗅覚受容体が粘液に覆われ、何を食べても微妙な味わいが感じられなくなる。ものを食べて感じられる風味の元の大部分が、口の中に放たれるにおい分子だからだ。そのため、ワインの味わいも温度によって違って感じられる。冷やして出された場合、口の中に広がるのは揮発性のかなり高い物質だけで、そのため風味の特徴の面でそれらが他を圧倒する。だが、温めると違うにおいがする。エネルギーが余計に与えられた分、液中から蒸発するにおい分子が増えるのだ。こうしてワインの香りが変わり、ひいては味わいが変わる。白と赤とで味わいがあれほど違う大きな理由のひとつは、違う温度で出されることにある。赤と白をどちらも冷やしたうえでブラインドテイスティングをしてみれば、どういうことかおわかりいただけるだろう。温度が低いと、フルーティーさを強く感じさせるにおい分子ほど液中にとどまり、香りに寄与しない。そのため、風味のバランスが変わって酸味や辛さが強調され、多くの人がそれをさわやかさやキレと感じる。これに口蓋をひんやりさせる効果が加われば、極上の味わいとなるだろう。白ワインを飲んだときの典型的な感覚だ。同じワインを室温で出すと、まったく違う味わいになる。今度は酸味が覆い隠されてフルーティーで情熱的な風味に包まれ、キレよりもむしろ温かみが感じられるのだ。これは正しい／間違いの問題ではない。ひとえに好みの問題である。

私が機内で飲んでいるこのワインの温度は22℃前後ではないだろうか。ボトルが小さいので、グラスについだばかりではあるが、その前に機内の気温になじんでいただろう。

スワリングしてワインをグラスの内面にまわしかけ、アルコール度数を推し量ってみる。見た

グラスの内面でマランゴニ効果を見せる赤ワイン。

いのはマランゴニ効果と呼ばれる、グラスの内面を垂れていくワインが滴をつくる様子だ。ワインに含まれるエタノールには、ガラスに対する表面張力を弱める効果があるので、ワインが注がれたあとに薄い膜が残る。この膜に含まれるアルコールはすぐに蒸発するのでアルコール濃度の低いところができ、その部分の表面張力が周りよりも高くなる。力が不均一になると膜が分かれ、滴ができる。ワインのアルコール濃度が高いほど効果がはっきり表れるので、マランゴニ効果を見れば、飲んでいるワインのアルコール度数が感覚的にわかる。今飲んでいる赤は、はっきりした滴をつくるので強いワインだろう。度数は高めで、14パーセントくらいか。

ラベルの説明を読まずに、目を閉じて一口ごくりと飲んでみる。さあ、味わいやいかに？　濃厚で、フルーティーな、何と言うか、その、赤ワインの風味がする。苦くはないが、甘くもない。バランスがいいと言って良さそうだ。滑らかだと言いたいが、自分はそう言って何を表現したいのか？　当然ながら、液体なのでそもそも滑らかだ。たぶん、口の中で乾いた感じやとげのある感じがしなかったということなのだろう。ならば、渋くないと言っていい。私好みだ、と思いつつ、どんな味がするはずなのか、ラベルを読んでみる。

「深い紫色。豊かな黒スグリとチェリーの香り、そしてほのかな樹皮の香り。若いタンニンにあふれつつバランスのとれた味わい。ライトボディでフルーティーなフィニッシュ」

「なるほど！」と思いながら、スーザンの様子をちらりと見て、読書中かどうかを確かめる。読書中だったが、いぶかしげに目を上げたということは、私は声を上げていたようだ。つまり、私は少しばかり酔っているが、それに気づかないほどは酔っているわけではなく、悪くない。

風味が視覚に左右されるわけ

ワインの味わいは、大勢のその道のプロが認めるであろう以上に、その外観（とりわけラベル）に、そして文化との関わりに左右される。研究によると、風味は脳でつくり上げられ、その入力には口の味蕾や鼻の感覚器のみならず、どのような味のはずかという脳による予測も含まれる。たとえば、ストロベリーアイスクリームを用意し、味もにおいもない着色料で色を変え、緑、黄、オレンジなどにしておくと、食べたときにストロベリー味を感じにくくなる。感じるのは往々にして色と関連付けられている風味で、アイスクリームが淡いピンク色なら「ピーチ」味がするだろうし、黄色なら「バニラ」味、緑色ならたいてい「ライム」味だ。だが、何よりの驚きは、私が実際に試したとき、食べているピンク色のアイスクリームがストロベリー味だと知っていたのに、どうもピーチ味に感じられたことである。風味は文句なしに、知覚が複数関わる体験だ。そして、脳が食べ物や飲み物の味覚を、複数の情報源からの感覚器入力をもとにつくり上げる際、視覚はあまりに支配的で、ほかの感覚器からの入力を圧倒することが多い。

風味がなぜこうも視覚に左右されるのかについては、さまざまな説が唱えられている。有力な説のひとつは、脳で風味が解釈される仕組みに関係している。風味はにおいをもとにつくり上げられるのだが、においによる検知は視覚による検知よりも10倍ほど遅い。それに、私たちは特定の分子に由来するにおいをかぎわけるのにたいそう苦労する。ひとつのにおいが鼻で複数の受容体によって検知されるからかもしれない。特定の分子性物質をにおいで識別する訓練を受けている専門家さえ、ほかに4～5種のにおいが混ざっているとうまく識別できなくなる。ワインにはにおい分子が何千何万と含まれていることを思うと、ワインテイスティングがいかに難しいかがわかろうというものだ。嗅覚からの情報が不十分で、混ざり合ったにおいを確実には区別できないことなら、簡単なゲームですぐわかる。晩餐で客人に目隠しをし、グラスを順番に渡して中身を当ててもらおう（オレンジジュース、牛乳、アイスコーヒーでお試しを）。ルールは、嗅ぐことだけオーケーで、味わうのも見るのもだめ。すぐわかる飲み物もあるが、ほとんどは嗅覚で当てるのが難しい。次に、答え合わせはせず、目隠しをとり、嗅覚に加えて視覚も使って当ててもらう。

すると、はるかに簡単になる。その飲み物をかつて見たり嗅いだりした経験を動員できるからだ。このゲームは、私たちがいかに視覚に頼ってにおいを、ひいては味わいを特定しているかを物語る。

ワインを味わう際に視覚がいかに重要かを実に劇的な形で示したのが、2001年にフランスで行われたある科学的調査だ。54人の被験者が、2種類のワインを試飲してその香りを評価するよう求められた。ワインはどちらもボルドー。片方は白で、ぶどうはセミヨンとソーヴィニヨン、もう片方は赤で、ぶどうはカルベネ・ソーヴィニヨンとメルローだった。ただし、白に無味無香の赤の着色料が混ぜられていることが被験者に伏せられていた。そのため、被験者から見る限り、評価するのは2杯の赤ワインだった。彼らによる香りの評価は色にすっかり影響され、どちらのワインについての記述にも「スパイシー」、「コク」、「黒スグリ」といった言葉が用いられた。片方は白ワインで、風味の特徴がこうした形容にそぐわないにもかかわらずである。

一方で、飲み物の色がどう変えられていようと、感じられる味わいが見た目に基づく予想と一致するなら、おいしさはたいてい増す。同じように、つがれているボトル、その場の清潔さや雰囲気、ついでいる人の魅力、そしてワインの場合は特に、洗練さや品質との結び付き――こういったすべてが飲むという体験を左右する。さまざまな実験によれば、そのワインを気に入るかどうかは、どこでつくられたとラベルに書かれているかに多かれ少なかれ左右されるし、飲む前にそのワインについて前向きな評判、たとえば何かの賞を取ったという話を聞くと、いっそうおいしく感じられる。ちなみに、受賞歴のあるワインは結構多い。開催されている品評会は多く、そこではワイナリーから出品されるワインの大半に讃辞が贈られる。

ワインのことなどまるでわからず、レストランでワインリストを手渡されるとどうしていいかわからないという方は、ぶどうの耳慣れない種名、ワインの生産国、ぶどうの収穫年などを、車の仕様と同じようなものだと思えばいい。車を買うならガソリン車か、それともディーゼル車か、搭載されているエンジンの排気量は1400と2000のどちらがいいか、こだわる人もそうでない人もいるだろう。こうした詳細をとりたてて気にしない人にとって、欲しい車の条件はA地点からB地点へ確実に連れて行ってくれることであり、大事なのはそれだけだ。中価格帯のワインの大半は、そんな希望を見事にかなえてくれる。ワインの場合、〝A地点からB地点へ確実に〟に当たるのは、料理に良く合う、気分転換にいい、誕生日を祝うのにふさわしい、といった事柄だ。一方で、A地点からB地点へ連れて行く以上のことを車に求める人もいることだろう。大事なのは目的地までのあいだに体感すること。それは、タイヤを鳴らしてコーナーを駆け抜けるといった刺激かもしれないし、浮いているかのような滑らかな乗り心地かもしれない。ワインのなかには、ひときわとがった風味を持つものもあれば、「自然派」ワインのように、ワインらしい味わいという枠を紛れもなく押し広げるものもある。これらはより優れたワインではない。タイプの違うワインだ。味覚はそもそも主観であり、車（や人生のもろもろ）もそうだが、値段は望んだ体験ができるかどうかの信頼できる目安ではない。ワインを楽しんでいるときは、車でのドライブ中と同じで、五感で楽しむ体験をしている。それに対し、名門ブランドの高級車を買う場合、何にお金を払っているのかといえばブランドにであって、体験にではない。世の中には最高級車の所有に大きな喜びを感じる人がいて、最高級車が持ち主の人物について語ることを心底楽しんでいる。ワインの場合でも言えることだ。しかしながら、ブランドが高級であるほどいいワイン、いい車、ということにはならないし、その持ち主がより洗練されているということにも当然ならない。そんなわけで、どれだけ高いワインを手にしても心躍らない人は、1本1万円のワインにお金を出しても無駄になる。中価格帯のワインのほとんどとお手頃価格のワインの多くが、値の張るワインと肩を並べる複雑な風味を持っており、そのことはブラインドテイスティングで実証されている。

機内では、私のグラスがまた空き、徐々に頭痛がしてくる。まさかもう二日酔いか？　それとも単なる脱水症状か？　水分の節約を腎臓に命ずるホルモンの分泌を抑える、というのもアルコールが人体に及ぼす生理作用のひとつで、水を飲んで補わなければ脱水症状になる。客室乗務員が見当たらないので、出国ラウンジで大枚はたいて買ったペットボトルの水を引っぱり出す。シュッという音とともに開いたボトルの口から、水をごくごくと飲む。気持ちいい。窓の外には桁外れに大きな水の塊が見える。美しい青い海が、水平線のかなたまで広がっている。

第3章 深遠…水の振動と波の凄いエネルギー

エウレカ！

手元のペットボトルに入っている水は、機体の楕円形の窓から見える海の水とはかなり違う。違いは各種塩類などの組成だけではない。挙動もだ。地球の海は絶えず流動している。海は風を生んでもいれば、風に動かされもする。雲や気象現象を生みだしてもいれば、雲や気象現象の影響を受けもする。大気を温めもするが、熱を蓄えもする。海中には地球規模の巨大な流れが確立されており、気候に影響を与えている。かくして、地球表面の7割を覆っている海は、概して同じ分子からなっていながら、ボトル入りの水の単なる巨大版ではない。まったく別物の獣だ。

そしておそらく、「獣」という表現は海の形容にふさわしい。海は危ない。泳ぎがどれほど得意な人にとっても。一度に数時間浮き続けていることは、外洋ではきわめて難しい。もし海で取り残されるようなことがあったなら、言っておくが海流に逆らって体力を消耗してはいけない。

仰向けになって浮きながら助けを待つのだ。ただし、私に言わせれば、人間が水面あたりで浮き沈みしている様子を「浮く」と言うのは正しい形容ではない。船が浮いている様子こそ「浮く」である。船は見事だ。航行中に船体のごく一部しか沈まない。私の場合は、どうがんばって浮こうとしても体の大部分が沈む。水面から鼻を突き出しながらクジラさながらに鼻を鳴らすのが精いっぱいで、呼吸をしながら鼻から水が入らないようにしようとしても、たいていうまくいかない。私の考える本当の意味での「浮く」とは、単に水面にとどまることではなく、水面に楽してとどまることを指す。だがこれは標準的な定義ではないし、2000年前に浮力の原理を発見して湯船で「エウレカ（われ発見せり）！」と叫んだことで有名なアルキメデスが考えていたことでもない。

アルキメデスはギリシャの数学者・技術者である。彼は湯船に入ると水位が上がることに気がついた。理由は言うまでもない。体のある場所にはそれまで水があったからだ。発泡材料（フォーム）入りのマットレスとは違って、水は下敷きになって圧縮されたりはしない。液体なので流れて体をよけ、別の行き先を探す。湯船のような囲まれた空間なら、行き先は元の水位よりも上しかない。漬かったときに湯船がすでにいっぱいだった場合、水は湯船の縁を超えて床へとこぼれ落ちる。ここで、アルキメデスによる有名な実験の登場だ。こぼれ落ちた水を別の容器に集めると、興味深いことがわかる。集まった水の重さは、体に作用する浮力と等しいのだ。この力が体重を下回ると体は沈み、そうでなければ浮く。そして、このことはどんな物体にも当てはまる。「エウレ

浮くものと沈むものがある理由は、それが同じ体積の水よりも重いかどうかに帰着する。

カ！」

ものが浮くか沈むかは、それによって追い出される水の重さを量るだけで予測できる。これがアルキメデスの発見だった。固体の場合は、素材の密度を水と比べればいい。木材は単位体積当たりの重さが水よりも軽く、したがって密度が水よりも小さいので浮く。鋼鉄は、密度が水よりも大きいので沈む。だが、裏技がある。内部を中空にすれば、鋼鉄でも船をつくれる。中空にすることで密度の平均を水よりも小さくでき、浮くのである。本当にそれだけのこと。アルキメデスの時代から2000年、鋼鉄の価格は実際にこの方法で船をつくれる程度には安い。現在、数多くの貨物船が世界の貿易物資の9割〔重量基準〕を運んでいるが、貨物船はほとんどが鋼鉄製だ。

人体をなす素材の密度はざまざまで、歯・骨の密度は高め、それ以外の組織の密度は低めで、中空の部分もある。全体としての密度は水よりもやや低く、そのため私たちは浮く。だが何か重いもの、たとえば金属製のベルトを身に付け、密度が水とぴったり同じになるように調整すれば、浮きも沈みもしなく

死海で浮いている男性。

なる。これがいわゆる中性浮力の取れている状態で、スキューバダイビングに理想的だ。水中で中性浮力が取れているときは、体を水面へ浮上させようとする力も海底へ沈めようとする力も実質的に働かない。スキューバ器材を身に付けると事実上無重力になり、深いところの珊瑚礁や座礁船を自由に見ていられるのだ。宇宙で体験する無重力感覚にきわめて近いことから、宇宙飛行士はプールの中で訓練する。

スキューバ器材の助けがなければ、人体は浮く。だが、人体の密度は水よりもわずかに低いだけなので、体の9割以上を水面下に沈めてやらないと、体重を支えられるだけの水をどかせない。やせている人よりも太っている人のほうが浮きやすく、それは脂肪と骨の比率の関係で密度が低めだからだ。ウェットスーツも体を浮きやすくするが、こちらは水よりも密度の低い素材の層で体を包むことになるからである。プールよりも海のほうがいくらか浮きやすく、それは海にはミネラルが溶け込んでいるからだ。そうしたミネラルのひとつが塩、すなわち塩化ナトリウムで、ナトリウムと塩素に分かれて水分子の合間に入り込むという形で溶けている。こうした原子が含まれていることで水の密度が上がり、そのため純水の場合ほど水をどかさなくても体重を支えられる。実際、中東の死海には大量の塩分が含まれており（大西洋の10倍）、誰でもアヒルのようにほとんど水面上に浮いていられる。

水の高い熱容量

体が浮いたら、泳ぐことができる。泳ぐことは人生の大いなる楽しみに数えられよう。水中では、体重を感じないばかりか、ダンサーよろしく滑らかに動ける。水面のすぐ下には隠れた世界が広がっている。費用のかかる火星旅行も、生命の発見が楽しみな惑星探査も忘れていい。海はどう現実的に考えても私たちにとって別世界だが、ゴーグルをかけて水中にすっと頭を入れてちょっとキックを打てば訪ねていける。まっ青な海の底の珊瑚礁へ潜っていくことは、その気になれば手が届く至高の体験だ。魚が退屈そうな目でこちらを見たかと思うと、さっと尾をふって難なくよけていく。私たちが泳ぐときは、片腕を伸ばして手を前方に出し、その手をかくことで周りの水を分子どうしがすれ違えない程度の速さで動かしてやると、水分子が互いにつかえてこちらの体に反作用が及び、その力が手のかきとは逆方向に体を進ませる。これが水泳の本質だ。楽しい腕と脚が絶えず動いて水を後ろへ追いやり、それが体を前進させる効果をもたらすのだ。楽しいだけではない。実質的に別人になる。陸上での身のこなしが重くても、水中ではイルカのように

ダブリンのフォーティーフットで泳いだあとの著者。

滑らかに動いたり回ったりできる。自由だ。

私にはダブリン近郊のダン・レアリーに住んでいた時期があるのだが、当時の自宅から徒歩圏内にフォーティーフットという遊泳スポットがある。そこはダブリン湾内の岩がちな岬で、ジェイムズ・ジョイスの『ユリシーズ』（河出書房新社ほか）に登場することで知られており、また、200年以上某水泳クラブの本拠地でもある。1999年のある冬の日に通りがかったとき、老いも若きも、と言っても大半は高齢者だったが、海へ飛び込んでひと泳ぎしていた。気温はたぶん12℃くらいだっただろうか。水温は10℃前後だった。アイリッシュ海から吹き付ける風とコンクリートの護岸を乗り越えてくる波で、大ぶりなオーバーを着ていたのに少々寒かったくらいだ。ところがそこでは、普通なら医者から暖かくしているよう忠告されていそうな高齢者が、凍てつく海へ飛び込んでいた。泳ぎ終わって体を温めていた何人かと話をした。皆ご機嫌で、笑顔で、満足げだった。寒さで歯を鳴らしていたが、どう見ても意気揚々としていた。聞いたところ、彼らは年中毎日泳いでいた。寒い日にも、暖かい日と同じように。ただし、当地で働くうちにわかったことだが、アイルランドで本当に暖かい日はまれである。

私は彼らの仲間に入ることにし、その日のうちに水泳帽を買った。以後、年中毎週フォーティーフットで泳いだ。振り返ってみると、あれはダブリン暮らしの一、二を争うなつかしい思い出だ。それにしても、私はあそこで泳ぐのがなぜあれほど好きだったのだろう?

10℃の水に飛び込んだときの感覚は、気持ちよさとはほど遠い。むしろ、平手打ちをくらうような感じだ。水温が極端に低いわけではないが、体温よりも25℃はゆうに低い水に自分の皮膚をどっぷりつからせる。水分子は熱を奪い去る。ここで、液体は気体よりも密度が高いので、1秒間に皮膚と接する分子の数は、空気にさらされているだけの場合よりも多い。そのため、温かい肌から逃げる熱伝導が格段に増える。

状況をさらに悪化させるのが、水のまた別の性質、水の熱容量だ。水分子は、何か熱いものにさらされると震えが速くなる。この振動を私たちは温度と呼んでいる。したがって、振動が速くなるほど水は熱くなる。水分子どうしをつなぎとめている水素結合は、この振動に強固に抗うので、1リットルの水分子の平均温度をたった1℃上げるのにも大量の熱が要る。銅を引き合いに出すと、水を熱するには同じ重さの銅を熱するのに必要なエネルギーの10倍が要る。水のこの特徴、すなわち熱容量の例外的な高さこそ、紅茶を1杯淹れるのに熱が大量に要る理由だ。また、台所で最もエネルギーを食うのがたいてい電気ポットだという理由でもある。だがこれは、水の熱容量が大きいこと（液体で水よりも大きいのはアンモニアしかない）が暮らしに及ぼす数ある影響のひとつにすぎない。ほかにも、水の熱容量が大きいからこそ海は大量の熱を蓄えていられ、そのため水温は気温にいつも後れを取る。そのため、晴れた日のダブリンなら気温は22℃まで上がるかもしれないが、水温は10℃からほとんど動かない。アイルランド人にとってこれはあいにく、夏の日差しで海が本格的に温まる前に、冬が来て水温を下げにかかることを意味する。だが、種としての私たちにはとても有利だ。何しろ、海は熱容量が高く、気候変動によってもたらされる余計な熱を大量に吸収できる。海は地球の気候を安定に保ち、冬を暖かく、夏を涼しくしてくれている。

だからといって、それは私が好きこのんであの冷たい海で泳ぐ理由にはなっていない。私は寒さや雨を楽しめるようなたくましいアウトドア派ではなく、科学者、工学研究者であり、ほとんどの時間を実験室や工作室の中で過ごしている。だからなのかもしれない。海は実に荒々しく、何をしでかすかわからないので、ひょっとすると私は無意識に、日常生活とはまったく異質な何かにとにかくこの身をさらしたがっているのだ。あの冷たい海に飛び込んだら、生きてその場の状況に対応するためにも泳がねばならない。とにかく快適とはほど遠く、意識と理性の支配する精神状態から強制的に引きずり出される。手に負えない危険な海にみずからの意志で飛び込み、息を切らしているときに、失敗した実験や確証のない仮説はもちろん、うまくいかない人間関係についても悩んでなどいられない。

死の冷たい手

冷たい水の中を泳ぐときには、いつも頭のどこかに低体温症の影がちらつく。低体温症は体の深部温度が35℃を下回ると始まる。体が勝手に震えだし、主な臓器に血液を回すために体表の血管が縮んで、肌の色が変わる。まず顔が青白くなり、続いて手足が青くなる。非常に冷たい水の中では、ショック症状によって呼吸が勝手に速くなったり、息切れがしたり、心拍がとても速くなったりすることがあり、ひいてはパニックと混乱、そして溺死につながりかねない。たとえ冷静でいたとしても、0℃の水では15分も泳いでいれば死に至る。低体温症になって筋肉が動かなくなるからだ。

結局のところ、平均水温10℃のどんより曇った凍てつく1月の午前中に私をフォーティーフットに招き寄せたのは、死の冷たい手だったという気がしている。死にあそこまで近づき、死をもてあそび、無事に上がってその場を去ることが、生をいっそう実感させたのだ。

実は〝ほぼ毎回無事に〟というのが正直なところで、無事とは言えない日があった。2月のある土曜日、フォーティーフットに来てみると人影がなかった。いつもの高齢者たちがいなかった。潮位は高く、波は荒く、ときおり大波が押し寄せて、海パンに履きかえていた岸壁に乗り上げてきた。体は震え、冷たい風に吹かれて全身に鳥肌が立った。飛び込む用意はできたが、躊躇し、海を見渡した。私はここでひとりで泳いだことがなく、海はそれまで経験がないほど荒れていた。もしかすると、だから今日はほかに誰も泳いでいないのか？　そう思いつつ数秒がすぎた。そして自分をこう煽ったことを覚えている。わざわざ海パンに履きかえたのに、そんなに怖いから泳ぐのをやめようとさえ思っているのか？　私は飛び込んだ。

いつものように顔に平手打ちをくらい、体が攻撃されるのを、海から生気を吸い取られるのを感じた。そういうときは対抗して元気に泳ぐことにしていたので、その日もそのまま沖を目指し、向かってくる波と闘いながら、猛烈な冷たさが手足に染み込んでくるのを無視しようとした。ある程度泳ぎ、ひと息つこうと止まったとき、顔に波をもろに受けた。一口飲み込んでしまい、せきこみ、つばを吐き、深く息を吸い込んだとき、また顔面に波をもろに受けた。今度はむせた。水が気管支まで入ったので、必死に手をかきキックを打とうとした。しっかり呼吸できるくらい水面から顔を出すために。ほんの数秒でいいから。だが、できなかった。波がとにかく荒く、体が押さえつけられ続けた。私はパニックに陥り、過呼吸になってきたが、それでもおぼれないようにとキックを必死に打ち続けた。だがそこへまた大波がぶつかってきて、パニックが疲弊に変わった。これはだめだ。体は冷え、疲れ切っていた。

とそのとき、体が岩にぶつかった。どれほどの時間むせていたのかわからないのだが、そのあいだに波と潮がこの体を、周囲を固めてフォーティーフットを冬の嵐から守っている岩々のほうへ押しやっていたのだ。どの岩も小型車ほどの大きさがあり、船着き場の堤防にすべくクレーンで置かれたものだった。こんな形で岩に打ちつけられることは、普通なら避けるべきだ。打ちつけられる速さは制御不可能であり、体を運んでいる波の大きさ、高さ、速さにほぼすっかり左右されるため、非常に危ないことになりかねない。それでも、あのときばかりはほっとした。岩に打ちつけられて切り傷や擦り傷をかなり負ったが、脱出のチャンスも与えられた。ただし、簡単ではなかった。私を岩に打ちつけた波が、引いていくときには体を岸から引き離しもしたからだ。さんざん打ちつけられて擦り傷を負って出血した末に、3回めか4回めの波でしっかりした手がかりが掴め、岩をのぼってようやく海から抜け出したのだった。

わが人生におけるこの出来事を、これまで何度も追体験してきた。極端で冷酷だが美しい海をじっと眺めているときのことが多い。だが、機内で高度1万2000メートルという見晴らしの利く高さにいると、あのとき感じた無力感がことさらに誇張される。わかっている。あの日もし、水をもう1回飲んでいたら、あるいは潮に岩場へではなく沖へ運ばれていたら、私は溺れ死んでいただろう。同じような状況で大勢が命を落としている。私は愚かだった。無慈悲な海の果てしなさそうな広がりを成層圏から眺めていると、海が人を飲み込んで跡形もなく消し去ってしまえることが恐ろしいほどありありとわかる。海や波、偶発的な溺死の世間話でもする気がありそうか、隣の様子をうかがうと、スーザンはひざをかかえて毛布にくるまり、SF映画を見ている。画面には巨大惑星の周りを回る宇宙船が映っている。

サーフィンの科学

水の塊について考える場合、その規模が大事になる。風が小さな池の上を吹きすぎると摩擦が生じ、それが風の速さを落として水を押す。すると、水面にへこみができる。この変化に水の表面張力が抗う。伸ばされた輪ゴムが抗うような感じだ。風が止むと、輪ゴムの場合と同じく、張力が解放され、重力と相まって水面が元の状態に戻る。水面が下がるとき、さざ波ができて外向きに広がり、ある水分子が別の水分子を追いやると、追いやられた水分子がまた別の水分子を追いやり、と続く。水のさざ波は、実はエネルギーのパルスだ。風を出どころとするエネルギーが、今や池の表面に留まっている。そのせいで池の表面が荒れてきて、その上を吹きすぎる風への抵抗が大きくなる。そうこうするうち、さざ波どうしが合体して高さを増していく。さざ波が高いほど、元へと引き戻そうとする復元力が大きくなり、ひいては池がどんどん荒れてくる。ただし、さざ波がどこまで高くなれるかには限度がある。さざ波はいずれ池のふちにたどりつき、そのエネルギーのほとんどが陸に吸収される。だが、移動距離が長いほど高さが増す。だから、小さな池でさざ波が大きくなることはない。だが、湖ともなると大きくなりえて、風がさざ波を普通の波にする。

波の頂上は「山」ないし「峰」、底は「谷」と呼ばれる。山から谷までの距離が、波の大きさの話で言うところの高さだ。波の高さが湖の深さを下回っていると、波はどこまでも移動する。

それが、岸辺の浅瀬に近づくと、谷と湖底との相互作用が始まり、ある種の摩擦が生じて波の速さが落ち、強制的に砕かれて、浜に打ち寄せて終わる。

幅が数千キロある海洋では、当初のさざ波が高さ数メートルへと成長するだけの時間と余地がある。風が海面上を時速20キロで2時間吹くと、高さ30センチの波ができる。時速50キロの風がまる1日吹けば高さ4メートルの波が、時速75キロの暴風が3〜4日吹き続けると高さ8メートルの波ができる。こうして立った最も高い波としては、2007年に台風のさなかの台湾近海で高さ32メートルが記録されている。

嵐の最中に立った波は、嵐の勢力が衰えても止まらない。池のさざ波と同じで海を渡るが、その際に波の長さが重要となる。波の長さとは、ある山から次の山までの距離を指す。しけた海で長さを見極めるのは難しい。何しろ、ありとあらゆる波が重なり合って入り乱れており、大しけの海ともなれば、荒れ狂う波が四方八方へ動き回っているかのようにも見える。ところが、嵐が止んでも波は進み続ける。波長はさまざまなので、速さがそれぞれ違う。そのため、波は何百キロと移動するうちに分かれ、速さの近いものどうしで群れをなす。同じ群れに属する波は揃い、平行に移動する。やがて、それぞれの群れが順番に一定のパターンで海岸に到着する。というわけで、浜に寄せては返す波の音は、はるか遠方で起こった嵐の音なのだ。あのうっとりするような心安まるリズムはすべて、複雑な海洋力学のおかげなのである。

暴風による波が海のあちこちで立っていることを思うと、波がたいてい浜と平行に陸へ近づいてくるというのもちょっとした驚きである。近づいてくる角度は、普通に考えれば、波の立った洋上のどこかと浜とを結んだ線で決まりそうなものだ。ところが、さにあらず。波はそれほど単純ではない。深いところを伝わっているときの波は、速さが一定に保たれる。ブレーキをかけられるものがほとんど何もないからである。だが、陸に近づくにつれて水深が浅くなり、波の谷が海底と相互作用し始め、その部分の速さが落ちる。一方、まだ浅瀬に達していない部分は変わらぬ速さで進み続ける。この速さの違いが波の向きを変える。自動車の片輪だけにブレーキをかけると向きが変わるのと同じ理屈だ。全体として見ると、波は陸に近づくにつれて、海底の等深線と平行になるよう曲がるのだが、等深線がたいてい浜と平行なので、ほとんどの波は岸に同じ方向から近づいてくるのである。

　サーファーはこうしたことをすべて知っている。そして浅水変形についても。サーフィンがあれほどエキサイティングなスポーツなのは浅水変形のおかげである。サーフボードに乗って海を眺めているとしよう。何とかして知りたいのは、波がいつどこで崩れるかだ。波は岸に近づくにつれて速さを落とす。浅瀬に達したからなのだが、そのせいで高くもなる。これが浅水変形である。水深が浅くなるほど、波は高くなり、やがて波の勾配が臨界角に達して不安定になる。かなり切り立つので、山肌をスキーで滑り降りるかのごとく、サーフボードに乗って滑り降りられる。

　サーフィンにはバランスとタイミング、そして波の振る舞いに関する理解が欠かせない。長く乗っていられる波がほしいなら、波の一部がほかよりも先に崩れださなければならない。これはつまり、海底の等深線が浜に対して穏やかに傾いている必要があるということだ。というのも、波の崩れるタイミングはその波が伝わっている場所の水深で決まるからである。また、潮についても理解する必要がある。潮は月と太陽の重力に引っ張られ、水深を1日じゅう変化させているからだ。

まとめると、波に乗るためには、外洋で嵐によって、大海を渡ってくるほどの大波が起こり、都合のいい形の海底をもつ浜へ向かってくる必要がある。浜には潮に合わせてちょうどいい時刻に到達することも必要だ。そのうえで、まさにその時刻にウェットスーツを着てサーフボードを手に準備万端整えてその場にいれば、浜へ向かってくるうってつけの波に乗れるかもしれない。これだけさまざまな出来事がこれしかないというタイミングで集中しなければならないからこそ、サーフィンは特別なスポーツなのだ。サーファーは外洋で起こった嵐や太陽と月に、そして乗っている水に同調しなければならない。

津波の力

波の目利きではない人も、浅水変形については知っておく価値がある。なにしろ命拾いをするかもしれない。２００4年12月26日午前、タイのプーケット島で浜辺を散歩していた観光客が奇妙な様子に気がついた。海がみるみる引いて、普段は水没している岩が姿を現し、岸の船が座礁したのだ。子供たちがそれを見てびっくりし、親もびっくりしたところへ、突然大きな波が現れ

津波の襲来。

た。あんなものは見たことがない、と彼らは思ったが、もちろんある。あれも波の浅水変形で、たまたま波が巨大だっただけだ。津波だったのである。

実はその数時間前、インド洋のどこかで地殻が一部裂け、マグニチュード9.0の地震を引き起こしていた。あの地震はどのような基準に照らしても巨大で、放たれたエネルギーは広島型原爆の1万倍と推定された。それでも、震源が外洋のはるか遠方だったことから、被害も犠牲者も直後はたいしてなかった。だが、あの地震は地殻の構造プレートを引き裂いただけでなく、海底を数メートル持ち上げてもいた。これが約30立方キロメートルの水をずらした。オリンピックプール1000万杯分というものすごい量だ。湯船の中で体を急に動かしただけでもお湯があちこち跳ねるところへ、あの地震はあれほどの量の水を動かした。

波は波らしく、インド洋の四方八方へ伝わりだした。津波が起こった瞬間を飛行機で上空から見ていたなら、おそらくそれほど心配にはならなかっただろう。波はとても長い距離にわたっており、そこは水深の深い海域なので、ちょっとした盛り上がりがやっと確認できる程度だったはずである。ただ、伝わる速さが気になったかもしれない。地震があまりに強く、膨大なエネルギーが短時間で放たれたことから、波の進む速さは時速500〜1000キロ前後とジェット機並みだった。それがタイのアンダマン海沿岸と浅瀬に近づくにつれ、速さが落ち、高くなった。岸に近づくにつれて、浅水変形が強くなったのだ。波は長さが数百メートルもあったので、浜にいた人が最初に気づいたのは、水が海へ吸い込まれたことだった。あの現象が何を意味しているのかを知っていたなら、高台へ逃げる時間が1分ほどあっただろう。だが、痛ましいことに、大半の人が知らなかった。それに対し、浜辺にいた動物たちの多くは、何かが起こっているのを感じ取って逃げたようだ。浜辺に残っていた人々は第1波にやられた。岸に達したとき、高さは10メートルだった。

あの津波では沿岸15か国で合わせて22万7898人が亡くなった。津波をあれほど危険なものにしているのは、津波が沿岸に押しやる大量の水だけではない。その水が、出くわしたものすべてに及ぼす力もである。水の重さは1立方メートル当たり1トンあり、あの津波では300億立方メートルの水がずらされた。津波は家や樹木や自動車を引き裂いて壊してがれきの川をつくり、出くわしたものすべてを打ち壊した。タンカーや家を軽々と持ち上げ、橋や高圧鉄塔に投げつけて倒壊させ、ひどい火災を引き起こした。波にのまれた人は運ばれながら、猛烈な勢いで流れるがれきに強打され、倒され、押しつぶされて、大勢が意識を失ったり、浮いていられなくなるけがを負ったりした。暴風による波と同様、津波も群れをなしてやってくる。そして、第1波（2キロ内陸まで達した）が第2波の接近によって引き戻されると逆流が始まり、途中にいた人やがれきをまた新たな猛攻に引きずり込んだ。

幸運にもこの惨事を生き延びたとしても、直面すべき課題が追い打ちをかけるようにいくらでも出てきた。なかでも深刻だったひとつが水の汚染で、津波にやられた地域では、下水道の破損や塩水の混入によって上水が汚染された。ほかにも、津波で亡くなった大勢の方々全員をできるだけすみやかに埋葬して、病気や害虫の広がりを防ぐ必要もあった。また、長いこと塩水に浸ったせいで畑が耕作に適さなくなっていた。

２００４年の津波の破壊力はすさまじかったが、日本近海で起こった２０１１年の津波はさらに強力だった。この津波を引き起こしたのは観測史上４番めという巨大地震で、震央は宮城県牡鹿半島の東南東約１３０キロの沖合だった。揺れは東日本全域で6分ほど続いたが、最悪の被害が起こったのはそのあとだった。この地震に伴う津波が沿岸に押し寄せて、町をまるごと破壊し、福島第1原子力発電所を襲ったのだ。

福島第1は１９７１年に運転を始めた原発で、6基の核分裂型原子炉を擁している。この型の原子炉の中心となるのが酸化ウランの棒で、束ねて炉心に配されている。反応炉は、エネルギーの非常に高い素粒子という形で放射線を発する。原発ではこのエネルギーの大半を水の加熱に回して蒸気をつくり、その蒸気がタービンを回し、そのタービンが発電する。このタイプの核エネルギーは強力で、酸化ウランの棒の燃料集合体が小型車ほどの大きさなら、人口100万の都市を2年賄える。2011年の津波の前、福島第1ではこうした原子炉が6基稼動しており、どれも年中無休で約500万人分の電気を発電していた。

日本には地震の長い歴史がある。大きな4つの構造プレートの境界に存在するからだ。福島第1はそうした地震に耐えるよう建てられており、実際に耐えた。日本国内の他の54基もだ。2011年3月11日に地震が発生したとき、発電所に損害はなかったのだが、法律で定められた安全対策に従い、3基の原子炉(1、2、3号基)がすべて自動停止された(4、5、6号基は定期検査のためすでに停止されていた)。核燃料は簡単に「オフ」にできるものではない。原子炉が停止されても燃料棒は熱と放射線を出し続ける。そのため、強制冷却して酸化ウランのメルトダウンを防がなければならない。停止中、この処理にはディーゼル燃料を用いるバックアップの発電機を使い、その発電で冷却水の循環ポンプを稼働させる。

2011年のあの地震によって最終的に1万6000人が命を落とすことになるのだが、揺れが収まり、原子炉が停止したとき、そのうち9割の方々はまだ存命だった。ところが地震の約50分後、高さ15メートルもある津波が発電所を襲った。津波の水は発電所の防波堤を突破し、核燃料棒を冷却していたディーゼル発電機のあった建物内に浸水したため、発電機が動かなくなった。一方、非常時の冷却用バッテリーも備えられており、8時間ほど稼働させるだけの容量があった「そしてこれらのバッテリーも次々と機能しなくなっていった」。通常、これくらいの時間があれば、追加のバッテリーなどを手配したりできるはずだ。だが、近代日本が遭遇したなかでも最大の津波が、行く手にあったものを何もかも残らず破壊していた。津波の水の途方もない力は、各地の町全体を、12万棟の建物を、25万台近くの車両を粉砕し、近隣の道路や橋をめちゃめちゃにした。津波に襲われた地域では機能が何もかも止まって、生存者に対する医療支援もきわめて困難になっていた。こうした状況下で、追加の電源の確保も間に合わず、すべての電源が失われたまま炉内の温度が上がり始めた。

核燃料棒が融けると溶岩のようになるが、燃料棒の液体のほうがはるかに熱い。火山から出てくる溶岩は赤熱しており、標準的な温度は1000℃だが、液体になった核燃料の酸化ウランの熱さはその比ではなく、白熱して温度は3000℃を超える。そうなると、触れたものほぼすべてを溶融させ、みずからに溶かし込んでいくはずだ。福島第1では、燃料集合体を収容していた厚さ約16センチの鋼鉄を融かして漏れ出し、少なくとも1基の原子炉ではその下のコンクリートも侵食した。だが、これは始まりにすぎなかった。

炉内に配する核燃料は、ジルコニウム合金で密封される。ジルコニウムは腐食に実に強いのだが、高温になると話は別で、3000℃になるとジルコニウム合金は水と激しく反応して水素ガスをつくる。推定によると、メルトダウンによって各原子炉で水素ガスが1000キロ生成された。3月12日、その水素ガスが原子炉収納建屋内部の空気と反応し、爆発を起こして建屋を壊した。

液体は封じ込めるのが何とも難しく、そのため、メルトダウンによって生じた大量の放射性物質が地域の水系に漏れ出し、最終的に海へと流れ込んだ。そこからは場所を選ばずどこへでも行くことが可能で、実際に行く。そのため、放射性廃棄物を扱う世の技術者の主な関心事は、担当する貯蔵施設への水の浸入を防ぐことだ。だが、原発はたいてい大量の水のすぐ近くに建てられる。そのほうが安全だからではなく、安上がりだからである。冷却に水を使う必要があるのだが、大量の水の供給源が手近にあるほうが、エネルギーの面でもコストの面でも発電所の効率がいいのだ。だが、福島で見られたとおり、災害が発生すると、水の供給は大量の放射性廃棄物に対して脆弱になる。

これは原子力だけの問題ではない。世界の大都市はほとんどが沿岸部にある。歴史上、国家間の貿易に港が必要だったからだ。しかし、地球規模の気候変動によって海面水位が上がれば、こうした場所——とそこに密集して暮らす人々——は、津波や台風や嵐の及ぼす力に対してますます弱くなる。この脅威から私たちを守る唯一の手段は、高台に移ることだ。あるいは、空中に移るという手もありか、などと飛行中の機内という高所で思いつつ、今の私は水を口に含みながら、全能の神よろしく広大な大西洋を見下ろしている。上空は穏やかで晴れ渡っており、海はほとんど無害なものに思える。

突然、何かにぶつかったかのような揺れがする。機体が1秒ほどすっと落ちたがおさまったようだ。と、同じことがまた起こったが、今度のは激しく、水がボトルの口から飛び出して、膝が濡れる。

「当機は現在気流の悪いところを通過中です」という機長の機内アナウンスが入る。「シートベルト着用のサインを点灯させせました。どなた様もお席にお戻りください。しばらくして気流の安定なところに達しましたら機内サービスを再開いたします」。機体がふいにまたすっと落ちる。胃の辺りがむかむかしてくる。窓の外に目をやると、翼が激しく上下に振動している。

第4章 粘着…モノをくっつけて文明は進化した

石器時代の接着剤

何度飛行機で乱気流を経験してもだめだ。頭の中でパニックの種ができるのをどうにも止められないらしい。合理的に考えて、翼がぽきりと折れることがないのはわかっている。今乗っているのは技術の最先端を行く旅客機なのだ。そのうえ、翼を接着している工場を訪れ、翼の機械的強度を確かめる試験を見学したことさえある。にもかかわらず、この脳の理性をつかさどる部分が、パニックを起こしたニューロンから無視されている。私だけの話ではない。これまでの経験から、機体の製造に接着剤が使われているという話をほかの乗客にはしないようにしている。そう聞かされても、概して安心材料にならないからだ。

液体の多くが粘つく。具体的には、その液体に指を浸せば指に付いてくる。油は指に付くし、水もそうだし、スープも、ハチミツもだ。幸い、どれも指よりもほかのものによく付き、おかげでタオルは役に立つ。シャワーを浴びると、水は体をしたたり落ちる。跳ね返らずに肌に付き、重力に抗いながら胸、腹、尻の曲線に沿って流れていく。こうして付くのは、水と肌とのあいだの表面張力が弱いからだ。水がタオルの繊維に触れると、タオルの繊維が微小な芯の役割を果たす。そのため、ちょうどロウソクの芯が液体のロウを吸い上げるように、タオルの微小な芯が体から液体を吸い上げる。よって、肌は乾き、タオルが濡れる。というわけで、ほかの物質に付くという性質は、どの液体についても元から備わっているわけではなく、ほかの物質との相互作用で決まる。

ところで、粘つくからといって、機体の接着に使えることにはならない。指先を湿らせてほこりに押し当てると、ほこりは指に付き、しばらくはそうしているが、水が蒸発するまでのことだ。水は蒸発すると付かなくなるので、ほかのものに付くからといって接着剤にはならない。接着剤は、最初は液体だったのが一般には固体に変わって恒久的な接合をつくる。

この材料プロセスを、人類は長きにわたってあれこれ試してきた。先史時代の祖先は、粉末の炭や、赤土のような色付きの天然の岩石などで顔料をつくり、それで洞窟の壁に絵を描いた。顔料が壁に付くように、脂やロウや卵といった粘つくものを混ぜ、かくして塗料が生まれた。塗料は基本的に色付きの接着剤であり、こうした最初期の塗料は、何千年と退色しないほど長持ちする。現存する最古の部類の洞窟壁画がフランスのラスコーにあって、2万年ほど前のものと推定されている。

フランスのラスコーで発見された、炭とオーカーでオオツノシカを描いた古代の洞窟壁画。

部族文化では、色の付いた粘つく物質が昔からフェイスペイントに用いられている。フェイスペイントは、神聖な儀式や闘いで中心的な役割を果たす。この伝統は今なお続いており、それを支えているのは現代の化粧品産業だ。たとえば、口紅は顔料を油脂と混ぜてつくられ、色が唇（lip）に付く（stick）ようになっている。だから口紅は英語でリップスティック（lipstick）と言う。唇に何時間も付いたままの一方、1日の終わりに落とすのが簡単、という接着剤探しは、アイライナーをはじめとするほかの化粧品の場合も含めて、必ず付いて回る問題だ。これは接着剤設計の重要なテーマのひとつを浮き彫りにする。往々にして、付けることと同様に剥がすことも重要なのである。だが、この話にはあとで戻ろう。接着の技をマスターするだけでも十分たいへんなのだ。機械的な強度を必要とする何か、たとえば斧や船の部品を、あるいはそれこそ機体の部品を接着によってつくりたいなら、塗料や口紅よりも強力な接着剤が要る。

1991年の夏、イタリアアルプスを散策していた2人のドイツ人旅行者が、死んだ男性の骨格を発見した。亡きがらはミイラ化していたが5000年前の人だとわかり、のちにエッツィと名付けられた。保存状態はきわめて良かった。死んでからずっと氷に覆われていたからだ。身に付けていた衣類や道具も同様で、はおっていたマントは草を編んだもの、外衣、下帯、ゲートル、腰布、靴はすべて革製だった。どの道具も実に巧みなデザインだったのだが、接着剤ということでは斧が何より興味深い。エッツィの斧では、イチイの柄に銅の刃を革紐で縛り付けてあるのだが、刃が柄にカバノキの樹脂で固定されてもいるのだ。粘り気のあるこの物質をつくるには、カバノキの樹皮を壺で熱する。すると、焦げ茶色のべとつくものが得られ、接着剤として旧石器時代の後期から中石器時代にかけて広く用いられていた。この物質は斧のような重い道具に使える。固まると丈夫な固体になるからだ。私たちの祖先はこれで矢じりや羽根を接着したり、硬いナイフをつくったり、陶器を修理したり、船をつくったりした。この液体の大部分をなすのがフェノールと呼ばれる分子である。

フェノールという名称にはなじみがないかもしれないが、においはすぐにそれとわかるはずだ。カバノキの樹皮から取れる接着剤に最も多く含まれているフェノールは2‐メトキシ‐4‐

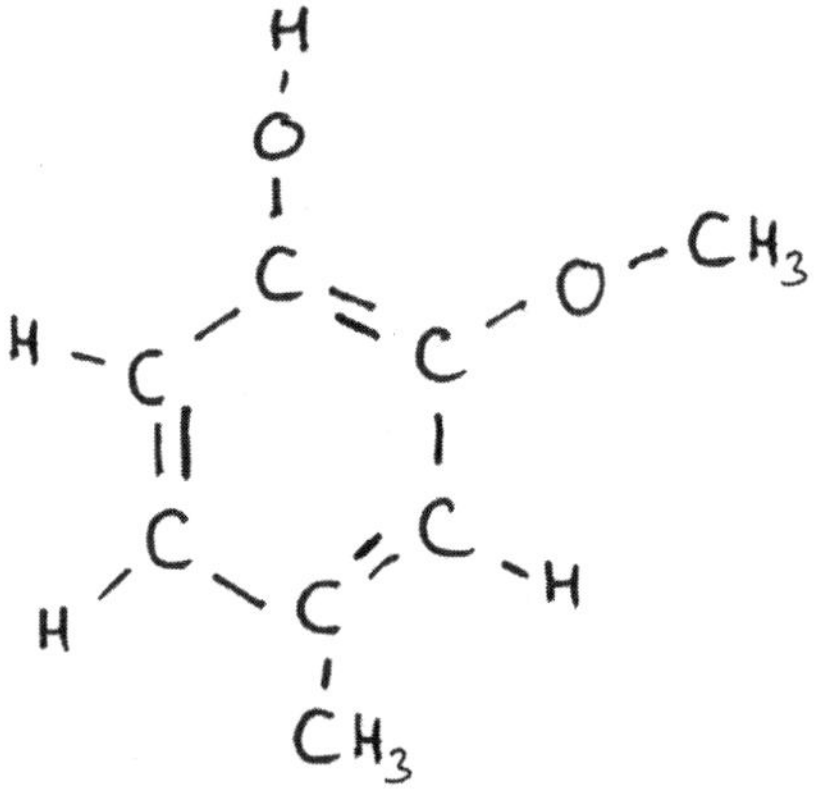

カバノキの樹皮から取れる接着剤の成分のひとつ、2- メトキシ - 4 - メチルフェノールの分子構造。炭素と水素の原子からなる六角構造に−OH ヒドロキシ基が1 個結合しているのがフェノールの特徴だ。

メチルフェノールで、焦げたクレオソートのようなにおいがする。フェノールアルデヒドはバニラのにおい、エチルフェノールはいぶしたベーコンのにおいだ。要するに、どんな魚や肉をいぶした場合でも、あの独特の香りのもとはフェノールである。

　カバノキの樹皮を熱すると、フェノールが抽出される。このねっとりした樹脂は、基本的にテレピンと呼ばれる溶媒とフェノールとの混合液だ。ベースはテレピンだが、数週間もすると蒸発する。残るは各種フェノールの混合液で、液体から硬いタールへと変わる。タールには、革などの素材を木材と接着できるだけの粘着性がある。

　樹木は粘つく物質の優れた供給源だ。松の木から滴のようにしみ出てくる樹脂も優れた接着剤になる。1000年ものあいだ広く用いられ

化石化した樹脂である琥珀に捕らわれたアリ。

ている接着剤のアラビアゴムは、アラビアゴムノキから採れる。ボスウェリア属の樹木の樹脂は、乳香と呼ばれるとても香しい粘着性の物質だ。ミルラも香しい樹脂で、コンミフォラ属という棘のある樹木から採れる。樹脂は、香水のほかに薬にもよく用いられたが、それはもしかすると、フェノールなどの有効成分に優れた抗菌性があるからかもしれない。古代、乳香とミルラは贈り物として女王、王、帝王に貢がれたほどたいそうな貴重品で、だからキリスト降誕の逸話におけるこれらの存在には大きな意味がある。

樹脂が粘つくのは偶然ではない。虫を捕まえられるよう粘着質に進化したのであり、樹木にとって貴重な防御手段となっている。現に、琥珀という宝石は化石化した樹脂であり、虫や何かのかけらが完璧な保存状態で中に閉じ込めら

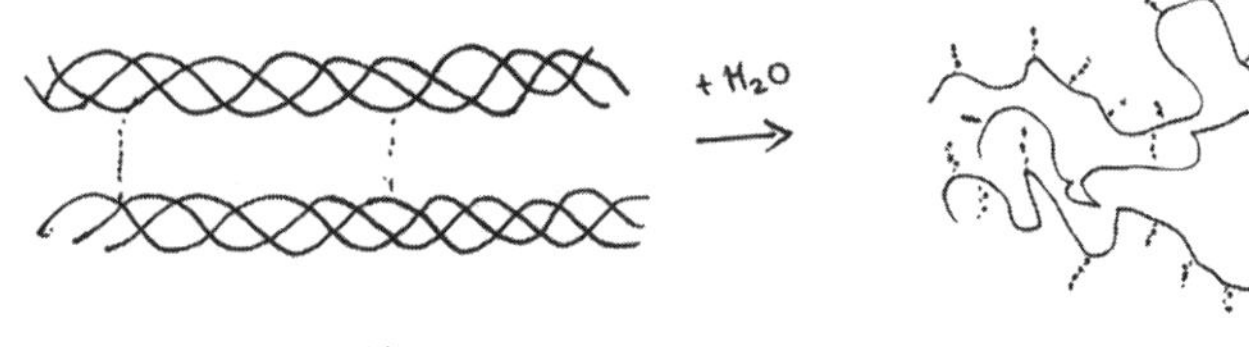

コラーゲン線維の構造が変わって動物性の「にかわ」のゼラチンになる。

れていることが多い。

樹脂がなかったなら、最初期の先祖が道具や装備品をつくること、ひいては私たちの文明が花開くことはかなり難しかっただろう。だからといって、飛行機の機体を樹脂で接着したいとは思わないに違いない。そんなことをしたらきっと飛行中に割れる。フェノール分子はほかの物質とは強固な結合をつくらない。何とも内向的で、仲間内でくっついてすっかり満足してしまう。

イカロスの墜落

だが、森に入れば、そう遠くを探さなくても、もっと強い接着剤が見つかる。鳥を思い浮かべてみよう。翼はボルトで留められているわけでもねじ込まれているわけでもない。筋肉や靭帯や皮膚はタンパク質と呼ばれる類いの分子で接合されており、人体もタンパク質でつなぎとまっている。なかでも重要なのがコラーゲンだ。コラーゲンはあらゆる動物が共通して持っており、比較的簡単に抽出できる。初期の人類が抽出に使ったのは魚や野生動物の皮だ。そこから脂肪を切り取り、皮を煮る。すると動物性のコラーゲンが抽出され、どろりとした透明な液体ができる。これが冷えると、固まって堅い素材になる。ゼラチンである。

ゼラチンに含まれるコラーゲンタンパク質は長い分子で、その骨格は炭素原子と窒素原子でできている。動物の場合、コラーゲン分子が寄り集まって強固な線維をなし、それが腱、皮膚、筋肉、軟骨を形成する。だが、にかわづくりの際にお湯と反応すると、コラーゲン分子がばらける。すると、化学結合に余力が生まれ、分子はそれを使いたがる。言い換えると、分子が何かほかのものと結合したがる。にかわとなったのだ。

初期人類のテクノロジーを支える大黒柱として、にかわは樹脂に取って代わった。たとえば、エジプト人はにかわで家具や装飾的な象眼をつくっていた。さらに、木材の大きな機構的問題のひとつを克服するのに初めてにかわを使っていたらしい。その問題とは、木材には木目があることだ。

木目は木材のセルロース繊維の密度と並びから生まれ、樹木の生命活動のみならず生育環境にも左右される。そのため、木目は種によって違うし、1本1本でも違う。簡単に言うと、木材は木目と直角の方向には強いが、木目と平行の方向には割れやすい。この性質は、暖炉にくべる薪を割るときには便利だが、木材で家を、椅子を、バイオリンを、飛行機を、あるいはおよそ何をつくるうえでも設計上の問題となる。木材は、薄いほど割れが問題になる。この問題の解決策は、直感に反するが、木材をさらに薄く切って単板（一枚板）にすることだ。

単板を初めてつくったのがエジプト人だった。彼らは単板を、各層の木目が互い違いで直角になるように重ねた。そうすることで、割れやすい向きのない人工の木材ができた。今では（積層）合板と呼ばれているものである。彼らは単板どうしの接着ににかわを使い、それなりにうまくいった。だが、料理でゼラチンを使ったことがあればそのとき見たと思うが、にかわはお湯に溶ける。にかわを使った家具は、すっかり乾燥させておかないとばらばらになる。大きな欠点に思えるが、エジプトは今も昔も非常に乾燥しており、これで間に合った。

そして、前にも触れたが、剥がせる接着剤には明らかな利点がある。昔から、クラシック音楽で使われる楽器の設計者、たとえば史上最高のバイオリン製作者として知られるアントニオ・ストラディヴァリは、楽器の製作ににかわを使っていた。おかげで、製作中に問題の生じた継ぎ目をどこでも剥がして、楽器を完璧なまでに仕上げられたに違いない。今日の職人は、木製楽器の修理で継ぎ目を剥がすのに蒸気を当てる。そうすると、にかわと木材との接着が弱まり、やがてにかわがゆるむ。そのため木材が損なわれずに剥がれ、楽器の寿命が延びて価値が高まる。実際、家具の修理に携わる職人の大半がにかわを使っており、その理由はまさに熱を利用して簡単に剥がせるからである。

だが、翼をつくるとなれば、熱は大問題になりうる。というか、少なくともそれが神話の教えだ。地中海のクレタ島を治めていたミノス王の話を思い出そう。ミノス王は、海神ポセイドンからたいそう美しい純白の雄牛を与えられた。王はポセイドンを称えてその牛をいけにえにしろと言われていたのだが、別の牛をいけにえにした。この美しい牛を殺したくなかったからだった。

イカロスの墜落。墜落したのは翼をつなぎとめていたロウが融けたから、という神話を後世に伝えている。

ポセイドンは王を罰するため、王の妻を純白の雄牛と恋仲にさせ、その交わりからミノタウロスと呼ばれる牛頭人身の化け物が生まれた。このミノタウロスが長じて恐ろしい人食い獣となったので、ミノス王は息子を監禁するため、ラビリンスと呼ばれる複雑な迷路仕立ての牢獄を名工ダイダロスに建てさせた。そして、ダイダロスが内部の秘密を他言しないよう、ミノス王はダイダロスをその息子の若きイカロスとともに塔に幽閉した。だが、ダイダロスは簡単に閉じ込めておける男ではなかった。羽根をロウで固めて、自分用に1対と息子用に1対の翼をつくったのだ。脱出の当日、ダイダロスは息子に太陽に近づきすぎないよう警告した。だが、イカロスは飛んでいるうちに気分がすっかり高揚し、空高くへと舞い上がりだした。するロウが融けて羽根がばらけ、イカロスは墜落死したのだった。

現代の飛行機も空高くへと舞い上がるうちに接着が剥がれたりしないのか？　そうお思いなら、イカロスの神話では道理が無視されていることを指摘したい。イカロスは高く上がるにつれて、暑さではなく寒さが増すのを感じたはずだ。気温は高度が約３００メートル上がるごとに２℃下がる。宇宙空間への放熱によって大気が冷やされているからだ。この便が今飛んでいる高度１万２０００メートルなら、窓の向こうの外気温は−50℃前後であり、どのようなロウでもこの温度なら固体だ。

20世紀の文化を変える

もう１つ指摘しておこう。現代の飛行機で接着にロウは使われていない。今どきは格段に優秀な接着剤がある。その発見へとつながる知の歩みの出発点はゴムだった。ご存じのとおり、ゴムも樹木から採れる粘つく産物で、中南米原産のパラゴムノキの幹に切れ目を入れて抽出される。メソアメリカ文化では、儀式的な球戯で使われる弾むボールなど、さまざまなものをゴムでつくっていた。16世紀にこの大陸にたどり着いたヨーロッパ人探検家は、ゴムにたいそう驚かされた。あのようなものは見たこともなかったからだ。ゴムは革のような柔らかさとしなやかさを持ちながら、弾性がはるかに高く、水をすっかりはじく。だが、こうした明らかな利用価値があるのに、ヨーロッパでは儲かる用途を誰もすぐには見つけられずにいた。そこへ、イギリスの科学

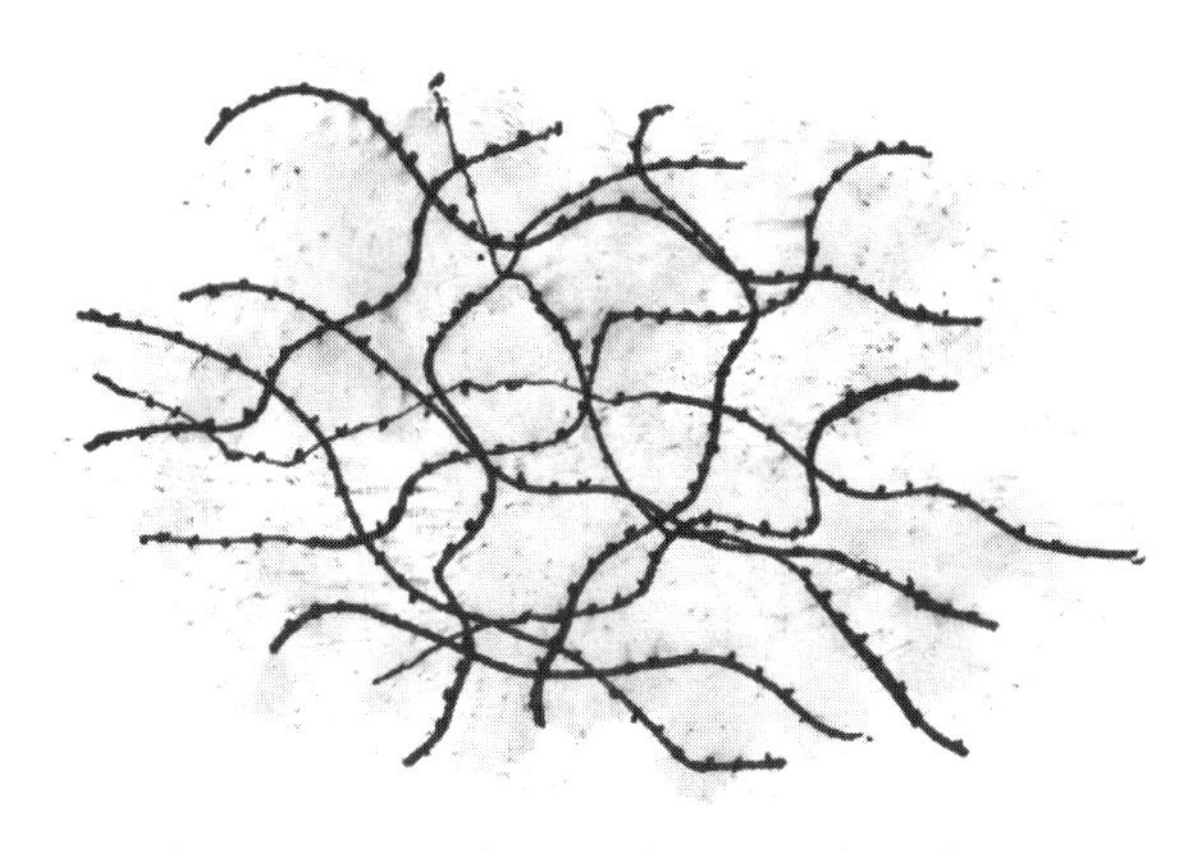

天然ゴムの構造。長いポリイソプレン分子が入り乱れている。

者ジョゼフ・プリーストリーが、鉛筆で紙に書いた字を消すのに適していると気づいた。イギリスでは今でも消しゴムをラバー〔rubber：原義は「ゴム」〕と言う。

天然ゴムは、小さなイソプレン分子がいくつもつながった長い鎖でできている。自然界では、同じ化学物質を構成単位として多数つなげるとまったく違う物質になる、という分子版の手品がよく見られる。こうした類いの分子をポリマーと言う。「ポリ」は「多数」、「マー」は「単位」の意味で、天然ゴムの「マー」はイソプレンだ。ゴムに含まれる長いポリイソプレン鎖は、どれもスパゲッティーのように絡まり合っている。鎖どうしの結合は弱く、そのためゴムを引っ張っても大した抵抗は感じられない。鎖がほどけるだけなのだ。だからゴムはよく伸びる。

ゴムがあれほど粘つくのはこの伸縮性ゆえだ。簡単に形を変え、どのようなすき間にも入り込む。手のしわにも入り込み、だからしっかり握れる。このグリップ感ゆえ、ゴムは自転車のハンドルに装着したり、自動車のタイヤをつくったりするのにおあつらえ向きなのだ。ゴムは車輪の前進に必要な摩擦が生じるくらいに自動車を道路に強くくっつけるが、自動車が道路にくっついて離れなくなるほど強くは付かない。同じように、ゴムは手を自転車のハンドルに、思いがけなくすべったりしない程度にしっかり固定するが、手が自転車にくっついて離れなくなるという心配はない。

目立たないながら何とも巧みにゴムが使われているのがポスト・イットだ。ポスト・イットにはゴムの接着剤層があり、メモから剥がしても接着剤は付箋にくっついたままでいる。そのため、壁、テーブル、コンピューターのモニター、本などに貼っても、相手を損なわないし、跡を残さない。ポスト・イットの接着剤をなすゴムの微小な球は、付箋には強固に接着するが、何かの表面に押しつけられても弱い接着力しか生まない。そのため、貼り付けた何から引き剥がしても、ゴムは付箋に着いたままになる。おかげで、ポスト・イットは場所を変えて再利用できる。天才のひらめき？　いや、このあまりくっつかない接着剤は実は偶然の産物で、１９６８年に3M社の化学者スペンサー・シルヴァー博士が、超強力接着剤をつくろうとしていて偶然発見したものだった。

20世紀には、文化を変えた接着製品がほかにも数多く登場している。なかでも重要なひとつが粘着テープで、これを１９２５年に開発したのがやはり3M社の発明家リチャード・ドリューだ。ドリューのテープは主に3つの層からなっている。中央の層はセロファン製だ。セロファンは木材パルプからつくられるプラスチックで、テープに機械的強度と透明さを与える。下層は接着剤。そして、最も重要な上層はくっつかない素材でできている。たとえばテフロンがそうで、こうした素材はほかの素材とのあいだの表面張力が高く、簡単には濡れない（だからテフロンは焦げつかないフライパンに使われている）。そうした素材をテープに使うというのは実に名案だ。というのも、テープにテープを重ねて貼ってもくっついたままにならないので、ロールとして製造できる。ロール式のテープ。これが1個もない生活環境は考えられない。わが家には1個どころか10個要りそうである。

粘着テープのロールの扱いを見ると、相手の人となりが結構わかるものだ。率直に認めるが、私は引き裂き派で、カット派ではない。テープを少しくれと頼まれたなら、ロールを手に取り、いさんで切り裂きにかかるだろう。おそらく1回めではうまくいかない。たいてい何度か失敗する。変な角度で引き裂いたり、ぷっつり切ったりしているうち、お約束のようにテープの接着面どうしをくっつけてしまう。自慢しているのではない。それどころか、私はかっとなってしまう。テープに対する憤りが募っていくのに対し、テープはこちらの心を逆なでするように、ロールにきれいに戻って端の位置をわからなくする。こうなると、親指をロールに走らせ、テープの端を感触だけで探り当てなければならない。これにまた時間がかかることがあって、私はテープに罵声を浴びせだす。そして、部屋の向こうへ投げ飛ばし……たあと、なぜテープカッターをいまだに持っていないかと自分にあきれる。

私の性格にはガッファーテープのほうが合っている。ガッファーテープは、はさみなしで切れるようにできている。ロールと垂直に繊維が走る生地で強化されており、簡単に引き裂けるようになっている。このテープの強度のもとは生地の繊維で、粘着性と柔軟性を担っているのは接着剤層とプラスチック層だ。私はガッファーテープが大好きで、正直言って、ガッファーテープをベルトに下げて持ち歩く必要のある職業の人がうらやましい。そんなことを考えながら、スーザンの様子を何気なくうかがうと、まだ映画を観ている。彼女が好きなのはどんなテープだろう？読んでいた本、オスカー・ワイルドの『ドリアン・グレイの肖像』（新潮文庫ほか）が手前のトレイテーブルに置かれている。本の背が修理されている。使われたのは赤の絶縁テープらしく、端がはさみできれいに切られている。ということは、彼女はそっち派だ。

飛行機も家具も美しい合板で

リチャード・ドリューが初めてつくった粘着テープは便利な発明だが、現代の飛行機につながった技術革新ではない。それをもたらしたのはまた別のアメリカの化学者レオ・ベークランドで、彼は最初期のプラスチックのひとつを合成することに成功した。彼の方法では、2種類の液体を化合させる。片方のベースはカバノキから採れる樹脂の主成分であるフェノール、もう片方のベースは防腐液であるホルムアルデヒドだ。この2種類の液体が反応して新たな分子ができるのだが、余力があってほかのフェノールと結合でき、その結果できる分子の結合の余力がまた別

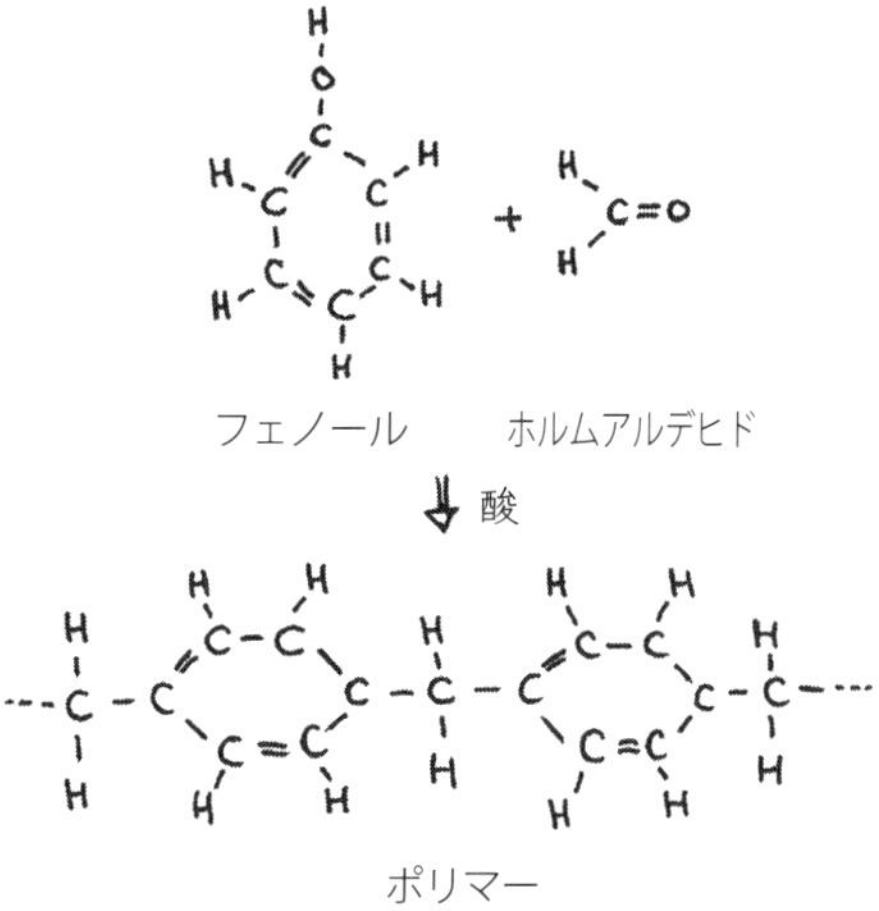

フェノール　ホルムアルデヒド

酸

ポリマー

2種類の液体、フェノールとホルムアルデヒドが強力な接着剤をつくる。

のフェノールとのさらなる反応を呼び、と最終的には（比率が適切なら）液体全体が化学的にロックされて固体となる。言い換えると、反応によって巨大な単一分子ができるのだが、ロックしている結合がすべて永続的なので、これで何をつくっても硬くて強いものになる。

ベークランドはこの新しいプラスチックで、発明されたての電話をはじめ、さまざまな品物をつくった。想像に難くないが、このプラスチックは実に便利で、ベークランドはひと財産を築いた。だが、インパクトはほかにもあった。フェノールとホルムアルデヒドを混ぜて2つのものの界面に塗る、という手に化学者が気づいたのだ。こうすれば、固まるにつれてその2つが接着される。かくして生まれたのが2液型というまったく新しい接着剤で、それまでのどの接着剤よりも強固だった。

デ・ハビラント社製のイギリス空軍モスキート爆撃機。合板でできている。

２液型の使用が増えるにつれ、それがいかに便利なものかが理解されていった。まず、フェノールとホルムアルデヒドという２種類の成分は、別々の容器に保管でき、使う必要が生じるまで液体のままだ。そのうえ、添加剤を使って化学組成を一部変えて濡れ具合を調整して、金属や木材などさまざまな素材に接着するようにできる。

この新タイプの接着剤は工学の世界に大きな影響を与えた。エンジニアは、古代エジプトで初めてつくられた合板をあらためて検討した。木材の接着専用に設計された２液型接着剤を使ったなら、できあがる合板は、にかわを使った場合とは違って、貼り合わせの接着力が弱くもなければ、湿気の影響を受けやすくもない。だが、新事業として立ち上げるには、やはり市場からの強い需要という後押しが必要だった。まさにそんな需要を生みだしたのが、同時期に発展した航空機産業だった。20世紀の前半、たいていの飛行機は木材でつくられていたが、木目のせいで割れが起こりやすかった。合板は願ってもない解決策だった。航

チャールズとレイのイームズ夫妻がデザインした合板製の椅子。

空力学的な形状に成形でき、新しい2液型接着剤のおかげで信頼性と弾性がともに優れていた。

かつて製造されたなかで最も有名な合板機が、デ・ハビランド社製のイギリス空軍モスキート爆撃機だ。第2次大戦に投入された時点では世界最速の航空機だった。どの他機種をも出し抜けたことから、防戦用の機関銃が積まれなかったほどだ。たぶん今なお、これまでつくられたなかで最も美しい合板製の物体ではなかろうか。その優雅さと美しさを生んだのは、接着剤が固まるまでのあいだに複雑な形状に成形できるという、設計者のあいだで何十年と人気を保った合板の性質である。

合板は戦後もこの世界に革命を起こし続けた。次なる対象は家具だった。当時の最も革新的なデザイナー、チャールズとレイのイームズ夫妻が、合板で木製家具を再創造したのだ。2人のデザインは定番となり、特に椅子は今ではイームズチェアの名で知られている。このデザインの椅子は現在も製造、模倣されており、カフェや学校の教室に行けば目にするだろう。家具の流行はほかにも来ては去ったが、合板はその魅力を失っていない。

炭素繊維複合材料の時代へ

合板家具は時の試練に耐えたが、航空エンジニアは目を転じる必要があった。戦後になると、機体製造ではアルミニウム合金が主な素材となった。その理由は、合板よりも単位重量当たりの強度が高かったからではなく、単位重量当たりの剛性が高かったからでさえない。否、アルミニウムが勝利を収めたのは、製造、与圧、認証取得の面で信頼性が高かったからで、このことは機体が大型化し、飛行高度が上がりだすと顕著になった。合板が湿ったり乾燥したりしないようにするのはとても大変だ。合板機が乾燥した地域に長期間配備されると、そのうち乾ききって素材が縮み、接着による接合部にストレスがかかる。同様に、湿潤な地域に配備されると、合板が膨張（さらには腐食）し、やはり機体の安全性が損なわれる。

アルミニウムにはそうした欠点がない。それどころか腐食に著しく強いので、その後の50年、機体構造の基盤だった。だからといって、完璧なわけでは決してなかった。本当の意味で軽量かつ高燃費の航空機をつくるには、単位重量当たりの剛性や強度が足りないのだ。そのため、アルミニウムを使った機体製造の絶頂期にさえ、代々の技術者は、機体の表面を覆うのに理想的な素材について頭を悩ませていた。それは別の金属か？　それともまったく違う何かなのか？　炭素

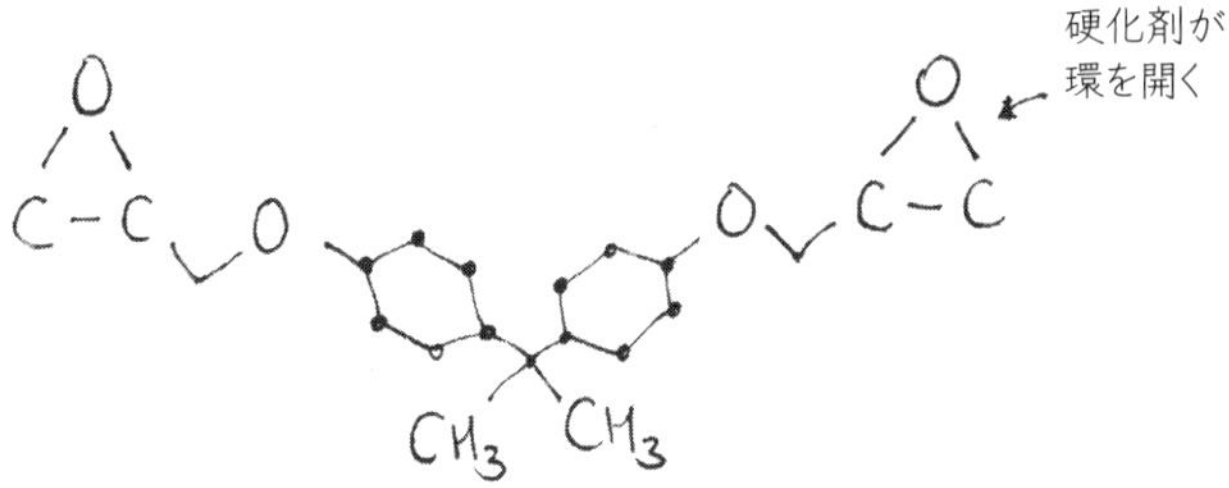

エポキシド分子の環が硬化剤によって開かれ、ポリマー接着剤の形成が可能になる。

繊維が有望そうだった。鋼鉄、アルミニウム、合板よりも単位重量当たりの剛性が10倍高かったからだ。だが、炭素繊維は繊維材料であり、それで機体の翼をつくることが当時は誰にもできなかった。

解決策となったのはエポキシ系の接着剤だった。この接着剤も2液型接着剤の要領でつくられるが、その中核となるのは必ず、エポキシドと呼ばれる分子1種類である。

エポキシド分子の中央には環があり、2個の炭素原子が1個の酸素原子と結合している。この結合を切ると環が開き、エポキシドがほかの分子と反応して強固な固体を形作れるようになる。この硬化反応は炭素と酸素の結合を切って環を開かないと始まらず、切断はたいてい「硬化剤」の添加をもって行う。

エポキシの大きな利点のひとつは、反応が温度依存であることだ。混ぜておいても、こちらが望むまで反応は始まらない。飛行機の翼の一部となる繊維強化部品の製造において、このことは重要だ。何しろ、どれも形状が複雑だし、大きいし、つくるのに数週間はかかる。それでも、接着剤を強固な固体に変える用意がいよいよ整ったら、翼を圧力釜に入れて適切な温度まで熱すれば、はい出来上がりだ。この作業に使う釜はオートクレーブと呼ばれ、ものによっては機体ほどの大きさがある。加熱に先立ち機体の型から空気がすっかり抜かれ、これで接着剤のまた別の問題が解消される。接着剤はえてして内部に空気を捕らえる。そのせいで泡ができ、固まるとそこが弱点となる。エポキシドのもうひとつの利点は、化学的に非常に応用が利くことだ。エポキシドの環にさまざまな化合物を付け加えることで、金属やセラミック、そしてもちろん炭素繊維など、多様な素材と接着するようにできるのだ。

そう聞くと、こんな疑問が湧くかもしれない。ホームセンターで売っているエポキシ樹脂は、欠けた陶器を修理したりジューサーの金属製のふたの取っ手を元どおりに接着したりするのに、なぜ加熱もオートクレーブも不要なのか？ 市販のエポキシ樹脂には、機体の製造で使われるものとは違う組成の硬化剤が使われており、エポキシド分子が室温で反応するように設計されているからだ。こうした接着剤は2個の容器入りで売られており、使うときに混ぜる必要がある。片方のチューブにはエポキシ樹脂が、もう片方には硬化剤と、反応速度を上げるための各種促進剤が含まれており、接着剤がより速く固まるようになっている。家庭用のエポキシ系接着剤も、航空宇宙用ほどではないにしろ、やはり強力だ。

簡単そうな話に思えたかもしれないが、複合材料の構造の基本的な理解を深めてテクノロジーを開発し、炭素繊維複合材料を用いた機体の飛行を誰もが信頼するようになるまでには、何十年もかかっている。最初は陸上でレーシングカーを使って試され、大きな成功を収めた。レーシングカーでは今やエンジンにも炭素部品が使われている。そう、お察しのとおり、高温環境でも使えるエポキシ系接着剤ができているのだ。レーシングカーの次に応用されたのが補綴（ほてつ）具だった。これは素晴らしいイノベーションで、というのも炭素繊維複合材料は多くの金属よりも剛性と強度が高いうえ、かなり軽量だからだ。障がい者ランナーが装着している義足、いわゆる「ブレード」も炭素繊維複合材料製である。自転車の生産にも用いられており、今日、世界最高性能を誇る自転車は炭素繊維複合材料をエポキシ系接着剤で接着してつくられている。そしてもちろん、ボーイングやエアバスの最新型の商用旅客機にも炭素繊維複合材料が使われている。今私を乗せて大西洋航路を飛んでいるこの機体もそうだ。

　補綴や航空宇宙の業界でボルトやリベットが接着剤にその座を譲ったように、病院でも糸やネジが接着剤にその座を譲る可能性は高そうだ。先頃、サッカーをしていて頭を切ったことがあって、頭に押し当てたハンカチを血だらけにしながら救急外来へ行き、待合室で2時間待って、ようやく呼ばれて中に入った。担当の医師は、頭の傷口をきれいにしたあと、シアノアクリレート接着剤のチューブを取り出した。そして、接着剤を押し出して傷口の左右に塗り、10秒間手で押さえて私を帰した。怪しい医師が時間を節約しようとしたわけではまったくない。これが病院での標準的な処置となったのである。

　シアノアクリレート接着剤は、強力接着剤や瞬間接着剤としてよく知られる、実に奇妙な液体

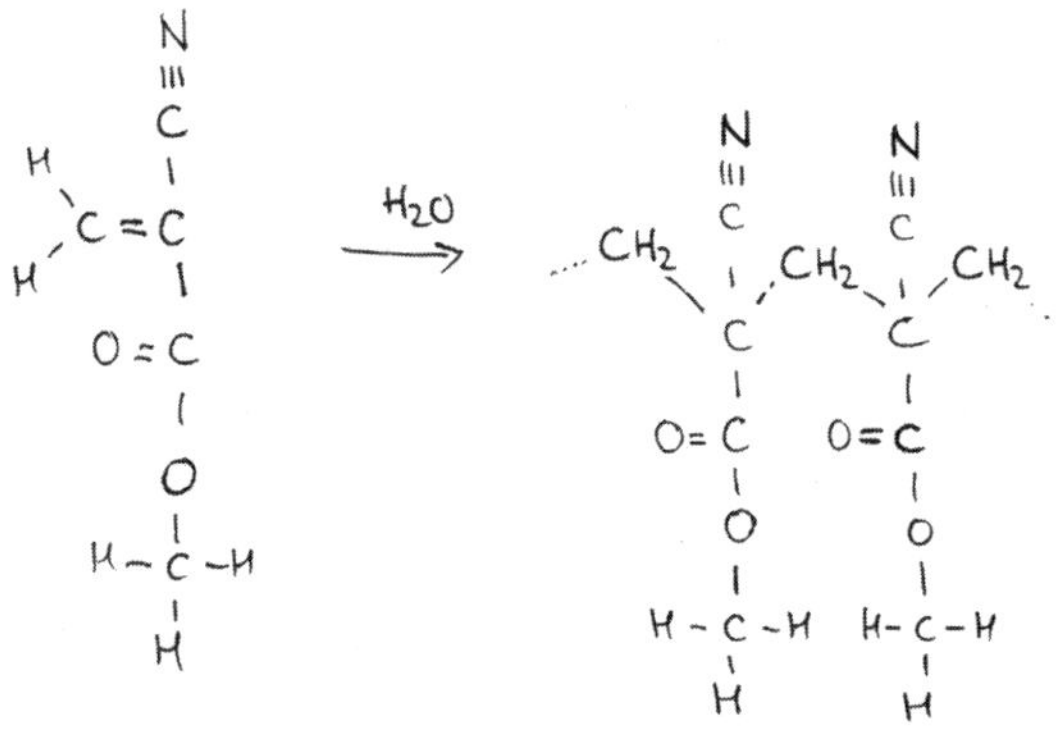

シアノアクリレート　　　　ポリマー

水分子がシアノアクリレート分子を開いてポリマー接着剤をつくる。

である。単独では油の一種であり、油のように振る舞う。だが、水にさらされると、H_2O分子がシアノアクリレートと反応する。これによって二重結合が開き、別のシアノアクリレート分子と反応できるようになる。反応すると二重分子となり、ほかの何かといつでも反応できる余分の化学結合が1つできるので、当然のように反応を起こす。そして別のシアノアクリレート分子と反応して三重分子となり、余分な化学結合がまた1つできて、よってまた反応し、というのを延々と繰り返す。この連鎖反応が続くうちに、長くて連結の多い分子ができるのだ。これだけでも見事なところへ、液体シアノアクリレートの薄い層の固体化には、空気中にすでに含まれている水蒸気しか要らないというのがますます見事だ。接着剤の多くが湿潤環境では接着しない。水のせいで表面に接着できないからなのだが、強力接着剤は環境を問わず機能する。だがそのせいで、強力接着剤と格闘したことがあればご存じのように、いともあっさり指どうしをくっつけてしまいがちで、そのため強力接着剤を素早く楽に剥がせる方法が探し求められている。

指はともかく、最近では接着剤が世界中で数多くのものをつなぎとめている。そうした事例がこの先さらに増えることは確実だ。私の乗った機体が時速８００キロで乱気流の中を飛ぶことに余裕で耐えて実証しているとおり、接着剤は適任である。ほかの生物が使っている強くて粘つく物質の数々を思うと、私たちは接着剤にできることについて、おそらく上っ面をなでてさえいない。植物や貝やクモの使っている接着剤がどこかで新たに発見されずにすぎる日はないに等しい。

そんなことを考えながら、機内エンターテイメントシステムで映画のリストをスクロールしているうち、『スパイダーマン』を見つけて指が止まる。そうだ、粘着性は確かに超能力だ、などと思いながら再生ボタンを押す。

第5章

幻想…オスカー・ワイルドの夢をかなえた液晶

動く肖像画

窓のシェードを下げ、明るい日差しを遮る。いつもながら、ひねくれたことをしているように感じる。なにしろ日々暮らしていて、ロンドンにいつも低く垂れ込めている灰色の雲を飛び越えてその上の日光を浴びたい、と思わない日はない。だが、しばらく上空にいるうち映画を観たくなったので、暗くして画面がしっかり見えるようにしなければならない。シェードを下げると、お隣のスーザンがさっと目を上げる。彼女にも影響が及ぶのだ。そこで、シェードを少しだけ上げ、光がわずかに差し込むようにしてから、親指を立てるしぐさをして、シェードを下ろしていいか尋ねる。彼女はうなずいて同意すると、頭上の読書灯をつけ、また本に没頭しだす。彼女に迷惑をかけたような気になる。

画面を絵画のようにできればいいのだが。色を変えられる顔料でつくられた絵画で、キャンバス上の登場人物を映画のように動かすことができるなら、シェードを下ろさなくて済む。そんなアイデアが頭をよぎったそのとき、スーザンが今まさに読んでいる本、『ドリアン・グレイの肖像』にこうした絵が出てくると思い当たる。あの絵は何だか薄気味悪く、物語の奇妙なプロットにぴったりだ。オスカー・ワイルドがこの小説を書いた1890年は、液晶が初めて発見されて間もない頃だった。その液晶から、やがて私が『スパイダーマン』を観るのに使っている平面ディスプレイテクノロジーが興ること、そしてこれこそ彼のこの小説の核心をなす摩訶不思議で不気味な絵を現実にするテクノロジーであることなど、ワイルドには知る由もなかった。

あの小説では、主人公である裕福な美貌の若者ドリアン・グレイが肖像画を描いてもらう。出来上がりを初めて見たとき、自分は老いて美貌が衰えていくが自分の肖像は違う、という思いにさいなまれて、こう嘆く。

この絵が六月のあの日よりも老いることは絶対にない……ああ、これが逆だったら！　いつ見ても若いのが僕のほうで、老いていくのがこの絵のほうだったら！　そのためなら――そのためだったら――何だって差し出そう！　そうさ、この世に存在する何だって！　魂をくれてやってもいい！

ドリアンの願いは謎めいた形でかなえられる。彼は快楽の人生に浸り、みずからの美しさと若

ドリアン・グレイが自分を描いた若さあふれる肖像画を初めて目にした場面のイラスト。

さを、そしてそれがもたらす官能的な喜びを愛で、他者の人生を壊していく。肖像画が事実上ドリアンに超能力を授けたわけだが、スパイダーマンはそれとはまた違った超能力を持っていて、ちょうど今画面の端から端までジャンプしている。スパイダーマンには超人的な肉体、建物の壁に張り付く吸着力、そして危険を察知できる「スパイダーセンス」がある。ドリアン・グレイの超能力は、決して年を取らないこと、あるいは容姿が衰えないことだ。描かれた肖像が彼に代わって年を取る。スーザンの様子を横目でちらりとうかがうと、暗闇のなかで天井灯のスポットライトに照らされながら『ドリアン・グレイの肖像』を読んでいる。ところで、動く肖像画をつくることはどれほどの難題なのか？

キャンバスに絵の具を塗ると、絵の具の液体がキャンバスに付き、塗られた絵の具の層がほかにもあればその層にも付く。初期の祖先が洞窟絵画で学んだとおり、絵の具は実質的に色付きの接着剤だ。つまり、絵の具の仕事とは、液体から固体に変わってその場にいつまでも留まることである。絵の具の種類が違えば残り方が違う。水彩絵の具は乾燥する。蒸発によって水分を空気中に放ち、絵の具だけを画用紙に残す。油絵の具には油が、一般的にはケシ、ナッツ、亜麻仁の油が使われている。油は乾燥しない。その代わりに別の手立てを用意している。空気中の酸素と反応するのである。普通、酸素との反応は避けるべきことだ。たとえばバターや食用油なら、酸化すると変なにおいがしたり苦くなったりする。それに対し、油絵の場合は酸化が逆にメリットとなる。油は鎖のように長くつながった炭化水素の分子からなっている。酸素は、どれかの鎖の炭素原子を捕まえ、反応を通じて別の鎖とつなげ、その過程で、つなげた分子にさらなる反応を呼び込む。言い換えると、酸素が硬化剤として働く（強力接着剤で水が硬化剤として働くように）。そのとおり、これもポリマーをつくる反応、専門的に言うところの重合である。

この反応の御利益は大きい。キャンバス上が硬い防水プラスチック仕上げになるからだ（油絵とは、より正確にはプラスチック絵と言えよう）。この仕上げは弾力性に富み、なかなか劣化しない。ただし、重合に時間がかかる。何しろ、酸素は絵の具の硬い上層に染み込んでからでないと、まだ反応していない下層の油に到達できない。これが油彩の欠点だ。固まるまで時間がかかるのである。だが、ファン・エイク、フェルメール、ティツィアーノといった油彩の巨匠たちは、それを逆手に取った。彼らは油絵の具を薄く何層も塗り重ねた。そうすると、1層ずつ酸素と反応して硬化し、半透明なプラスチックの層がいくつも積み上がって、さまざまな色の顔料による複雑な覆いとなる。

このように層を少しずつ積み重ねて描いていくことで、画家は見事なまでに繊細な作品を生みだせる。なぜなら、光がキャンバスに当たっても、最上層で跳ね返るだけではない。一部が透過して下層に達し、絵の奥底にある顔料と相互作用して、色付きの光として反射するからだ。あるいは、さまざまな層を通るうちにすっかり吸収され、漆黒を生みだす。油彩は色と輝きと質感を操る高度な手法なのであり、だからこそルネサンスの画家たちに採用されたのだ。ティツィアーノの『キリストの復活』を分析したところ、この油絵は9層からなり、そのどれもが複雑な視覚効果を生みだすのに貢献していた。ルネサンス絵画をあれほど官能と情熱にあふれさせたのは、紛れもなく油絵の複雑な表現力なのだ。重層化の効果は実に強力で、そのルーツである油絵の枠を超え、今ではプロ用のデジタルお絵かきソフトに導入されている。Photoshop や Illustrator をはじめとするどのソフトでも、画像の作成には「レイヤー」を使う。

液晶と偏光

亜麻仁油も重層化と同様、油絵の枠を超えてさまざまな用途に使われている。そのひとつが木材の処理で、透明なプラスチック保護バリアができる。そこまでは油絵と同じだが、こちらには

ルビー・ライト作のリノリウム版画『レモネードをこっそり飲む男』。

色がない。クリケットのバットも、昔から亜麻仁油で表面がコーティングされてきた数ある木材製品のひとつだ。亜麻仁油をもっと徹底的に使い、やはり重合反応を通じてリノリウムと呼ばれる硬い素材をつくることもできる。リノリウムは一種のプラスチックで、デザイナーや室内装飾家によって防水性の床仕上げ材として使われてきている。芸術家もリノリウムを使う。木版と同じようにして絵をリノリウム板に彫り込み、版画をつくる。ちなみに、最終的な作品に複雑さをもたらす主な手段は、やはり重層化だ。

思わず目を奪われるが、版画や油絵では動く絵をつくれない。だが、亜麻仁油に含まれているものとそう違わない炭素ベースの分子、たとえば4-シアノ-4'-ペンチルビフェニルを使うと、突如として動く絵が実現

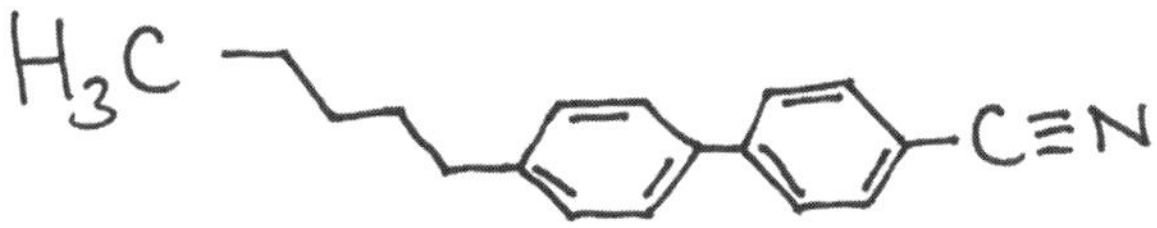

4-シアノ-4'-ペンチルビフェニルの分子構造

可能となる。

4-シアノ-4'-ペンチルビフェニル分子の本体は2個の六員環だ。おかげで構造は強固なのだが、環をつなぎとめている電子の分布が一様ではない。分子は分極しており、負電荷に偏っているところも正電荷に偏っているところもある。各分子の正電荷が別の電子の負電荷を引き寄せ、分子が互いに揃って組織構造をなす傾向を示す。これが結晶である。だが、4-シアノ-4'-ペンチルビフェニルの尾にはCH_3基が付いており、柔軟で、のたうち、結晶の形成に逆らう。そのため、4-シアノ-4'-ペンチルビフェニルの構造には組織だった部分と流動的な部分がある。これがいわゆる液晶である。

温度が35℃よりも高いと、CH_3基の付いた尾の影響が支配的になり、4-シアノ-4'-ペンチルビフェニルは普通の透明な油のように振る舞う。だが、室温まで冷やすと、液が牛乳のような見かけになる。この温度では固体ではないが、奇妙なことが起こっている。群れて泳ぐ魚の向きが揃うように、分子の向きが互いに揃いだすのだ。液体がこのような構造を持つことはきわめて珍しい。液体ならではの性質のひとつは、原子や分子にエネルギーがありすぎて一瞬たりともひとところに留まっていられず、絶えず回転、振動、移動することだ。だが、液晶は違う。分子はやはり動くし、流れること

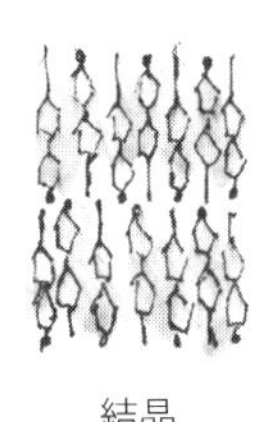
結晶

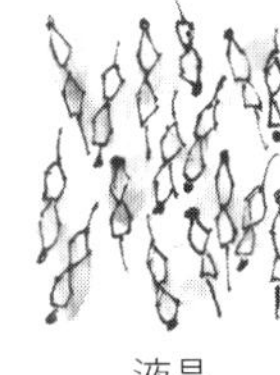
液晶

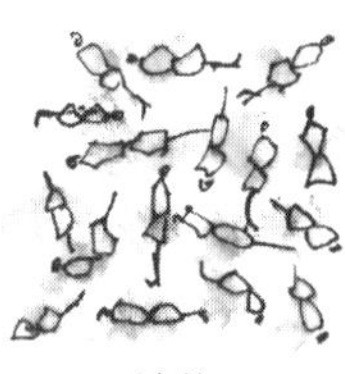
液体

結晶、液晶、液体の構造の違いを描いた図。

もできるが、向きを揃え続ける。これが、結晶内の原子が整然と並ぶ様子になぞらえられ、あの呼び名が与えられている。

ただし、完璧に揃っているわけではない。何しろ、分子は液体状態にあり、動き回って互いに入れ替わって群れを移る。だが、液晶にはもう1つ、極性分子であるからこその便利な性質がある。電場をかけると反応するのだ。具体的には、揃う向きを変える。この性質を利用すると、電圧をかけることで群れ全体を決まった向きにできる。この性質が液晶の技術的成功の鍵となった。おかげで電子機器に組み込めるのだ。

液晶セル〔液晶の素子で偏光板を組み合わせたもの〕を通過する光には、微妙な変化が起こる。偏光の向きが変わるのだ。これを理解するため、光を波だと、振動する電場と磁場の波だと考えてみよう。では、振動の向きは？　上下？　左右？　斜め？　太陽から届く普通の光はあらゆる向きに振動している。だが、反射の相手が滑らかな表面だった場合、その表面がどの振動と向きが揃っているかに応じて、ある向きの振動が促され、別の向きの振動が抑えられる。そのため、反射光には振動する向きとしない向きが生じる。これが偏光である。

こうした作用を光に及ぼすのは表面だけではない。透明な物質にも偏光を変えるものがある。たとえば偏光サングラスだ。偏光サングラスのレンズは決まった向きの振動だけを通す。すると当然、目に届く光が弱まり、世界が暗めに見える。偏光サングラスはビーチでとりわけ便利で、それは直射日光から目を守るからだけではない。穏やかな海面からのぎらつきにも偏光がかかっており、それをレンズが遮るようにもできているからだ。漁師も偏光サングラスをかけて水中を見やすくしているし、写真家も同じ理由で、すなわちぎらつきを抑えるために、レンズに偏光フィルターをかける。

クモのなかには偏光を検知できる種もいる。それもスパイダーマンが危険を素早く察知できる能力、いわゆる「スパイダーセンス」の一部なのだろうか？　映画では、スパイダーマンがドクター・オクトパスにあやうく捕まりそうになるが、超人的なとっさの判断で、あの触腕に絡め取られるのをぎりぎりで免れている。この特殊効果は驚くばかりで、スーザンのほうを見てにやりとしてしまう。自分が彼女の本に興味を持っていても、彼女が私と同じく『スパイダーマン』に興味を持っているわけではないことも忘れて。

液晶は偏光を変えることができる。これがスパイダーマンの像が目の前の画面に出現する原理だ。偏光サングラスのレンズを液晶の前にかざすと、偏光の向きがレンズと揃っていれば液晶からの光が明るく見え、そうでないと暗く見える。実は、この技が液晶セルに巧みに使われている。電場を使って液晶の構造を切り替えると、液晶中を通る偏光の向きも変わる。ひいては、スイッチひとつで光のオンとオフを切り替えられる。たちまち、液晶の構造を電子回路の速さで切り替えて白色光を点けては消し、また点けることのできるデバイスの出来上がりだ。白黒画面はこんな仕組みになっている。

デジタル腕時計からディスプレイへ

簡単な話に聞こえるかもしれないが、実現には何十年もかかった。液晶の奇妙な振る舞いを初めて記録に残したのは、オーストリアの植物学者フリードリッヒ・ライニッツァーだ。1888年という、オスカー・ワイルドが『ドリアン・グレイの肖像』を書くわずか2年前のことである。それから80年、多くの科学者がこの振る舞いについて研究したが、本格的な用途を見つけられた者はいなかった。1972年にようやく、ハミルトンウォッチカンパニーが初のデジタル腕時計パルサータイムコンピューターを発売したのを機に、液晶は日の目を見るきっかけを得た。この腕時計はかっこよかった。それまでのどの腕時計とも違っていたし、価格は平均的な車よりも高かった。買った者は、自分は未来を買っていると思っていた。そのとおりだった。当時はデジタルテクノロジーの黎明期で、やがて1兆ドル規模になる産業の初の量産品だった。

パルサータイムコンピューターではLED（発光ダイオード）が使われていた。LEDそのものは、電流に反応して赤い光を発する半導体の結晶でできている。見栄えがして、とりわけ黒の背景に栄え、裕福な有名人がとりこになった。1973年の映画『死ぬのは奴らだ』でジェーム

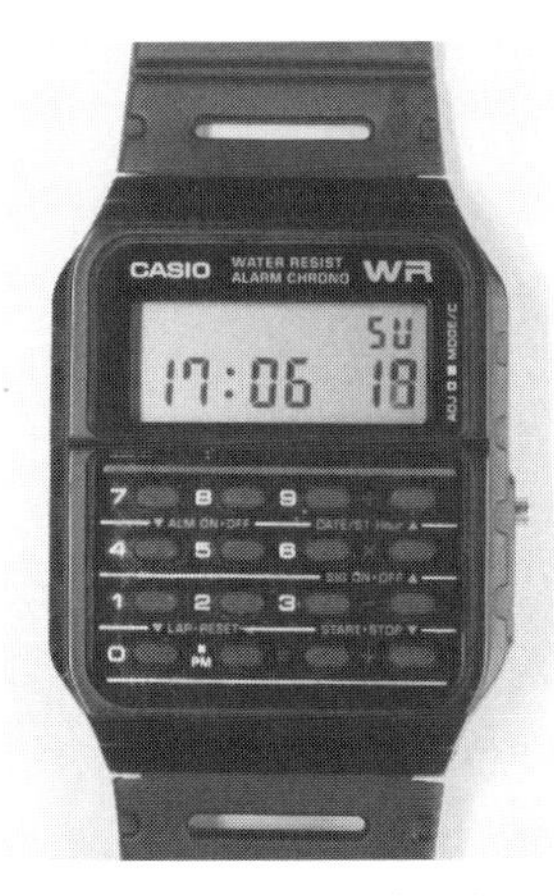

カシオの電卓付き腕時計。

ズ・ボンドがしていたほどだ。ただ、当時のＬＥＤは消費電力が大きいことが欠点で、初期のデジタル腕時計は電池がたいして持たなかった。デジタル腕時計という新たに見つかった華々しい需要を満たすためには、もっとエネルギー効率の良い画面テクノロジーが必要だった。何十年と実験室における興味の対象でしかなかった液晶に、突如として用途ができた。液晶はたちまちデジタル腕時計市場を席巻した。液晶の画素を白から黒に変えるのに必要な電力は実に微々たるものだからだ。それに、液晶は安かった。その安さたるや、メーカーが表示画面そのものを液晶でつくり始めたほどだ。それがデジタル腕時計で目にするグレーのディスプレイである。腕時計はグレーの液晶の決まった範囲を電子的に切り替えて、偏光された光を遮って黒をつくる。こうすることで腕時計は数字の変化を示すことができ、おかげで時刻でも日付でも、この小さなデジタル形式で伝えられる情報はなんでも表示できる。

私の子供時代の記憶で強烈に残っているもののひとつが狂おしいほどの嫉妬だ。友だちのメル・パテルが休み明けに、カシオの新しい電卓付き腕時計をはめて登校してきたのだ。私はばかみたいに感心しながら、彼が無邪気に小さなボタンを押すたびビープ音が返ってくるのを眺めていた。今思えば何のことはない、あれはダサいと思う。あんな小さな電卓、誰が欲しがる？　でも、当時は心をすっかり奪われた。あれこそ私のガジェット中毒の始まりだった。

デジタル腕時計の人気こそ衰えたが、デジタルガジェットはほかにも入れ替わり立ち替わりいくらでも登場してきた気がする。そのひとつがおなじみの携帯電話で、今でも液晶ディスプレイが使われている。驚きに思えるかもしれないが、デジタル腕時計で使われているのと同じ基本テクノロジーから現代のスマホ画面も生まれており、こちらではカラーの動画を表示できる。ここで話が油絵と、小説『ドリアン・グレイの肖像』で描かれている動く絵をつくるという難題に戻ってくる。必要なのは、もしやこの液晶？　だが、色をどうやって表現する？

ご承知のとおり、黄色の絵の具に青を混ぜると、混ざった色を私たちの目は緑と解釈する。同じように、赤の絵の具に青を加えると、紫になる。色彩理論によると、原色を組み合わせて混ぜればどんな色でもつくれる。印刷業界では一般にシアン（C）、マゼンタ（M）、イエロー（Y）を使い、それに黒（K）を加えてコントラストを調整する。インクジェットプリンターが機能するのもこの原理であり、だからインクカートリッジの仕様にはCMYKという略語が見られる。

これらの色がプリンターによってドット単位で用紙に印刷され、私たちの目と視覚系がそれを統合して特定の色と解釈する。こうして目を欺けることは昔から知られていた。そのからくりにニュートンが17世紀に気づき、点描画家によって絵画技法として19世紀に用いられた。この画法の大きな利点は、顔料による色の粒がキャンバスで物理的に混ざっていないままなので、明るさや輝きを調整して望みどおりの効果をつくりだせることだ。色彩理論のお告げどおり、この方法で色を組み合わせて配置すれば、点が小さくて、点どうしの距離が近い限り、どんな色でもつくることができる。だが、いったんつくった色を変えるというのはまた別の話だ。キャンバス上の顔料の比率を物理的に変えなければならない。どれかの点を取り除き、別の点を加えなければならない。とはいえ、色付きの点をあらゆる組み合わせで配置する方法があるなら何の問題もない。

これが液晶カラーディスプレイの基本原理で、スマホでも、テレビでも、今の私なら機内で前の座席の背に埋め込まれている画面でもそうだ。色付きの点はピクセルや画素と呼ばれている。どのピクセルも3色のフィルターを備えており、3色の原色を通す。ディスプレイの三原色は赤（R）、緑（G）、青（B）で、よって略称はRGBだ。3色とも等しく光ると、そのピクセルは異なる3色でつくられているのに白く見える。簡単に確かめる方法として、スマホの画面の上に小さな水滴を置き、それを通して画面を見てみるといい。水滴が虫めがねの役割を果たし、赤、緑、青という3種類のピクセルがずらりと並んでいるのが見えるだろう。

油絵の巨匠たちは、さまざまな色を組み合わせ、色彩の知覚理論を考えて、作品に暗闇や影をつくり込む方法を編み出さなければならなかった。カラー表示の枠を動画へと押し広げている現代のＬＣＤ（液晶ディスプレイ）技術者・科学者も同じ立場にある。油彩がフレスコや卵テンペラといったほかの技法と争っていたルネサンス期と同様、近年のＬＣＤは、ＯＬＥＤ（有機発光ダイオード）を用いる有機ＥＬディスプレイと争っている。新世代のテレビ、タブレット、スマホが出るたび繰り広げられているこの争いにも、一般には馴染みのない話が出てくる。ブログか何かで読んだことがあるかもしれないが、ＬＣＤは深い闇を表現できない。光の透過を妨げる偏光フィルターの効果が１００％ではなく、映画の暗い場面がグレーになってしまうからだ。同様に、ＬＣＤで色をつくる仕組みに起因して、一部の色で絶対輝度に問題が生じる。このため、画面に日差しが当たるのは望ましくなく、客室のシェードを下げるという事態が発生して、面倒なことになる。

だが、油絵の重層化と突き詰めればそうは違わない優れたイノベーションのおかげで、ディスプレイの性能は向上を続けている。たとえば、アクティブマトリックス層の追加によって、今では一部のピクセルをほかとは独立に切り替えられる。おかげで、特定の範囲のコントラストをほかよりも上げることができ、コントラストを画像全体について設定する必要がない。映画であれば、照明の当たる部分が限られている場面に有効だ。処理はもちろん自動でなされ、能動素子（アクティブ）であるトランジスターの存在が効いている。これが「アクティブマトリックス」の「アクティブ」の心だ。また、画面の視野角（画面の色調などが大きく変わらずに見える角度）に起因する見え方の違いにも改善がなされている。以前は、少し斜めからになるだけで画面がよく見えなかったものだが、今は「ディフューザー（散乱）層」が導入されて、画面から出ていく光が拡散されている。一方、ＯＬＥＤテクノロジーは、元祖デジタル腕時計のパルサータイムコンピューターで用いられた赤色ＬＥＤの後継技術なのだが、今やエネルギー効率がいい。また、表示色が格段に多く、視野角についてはほぼ文句の付けようがない。ただ、有機ＥＬディスプレイはＬＣＤよりもずいぶん値が張るわりに、いまだ輝度に劣る。

ＬＣＤは完璧ではないかもしれないが、基本的にはオスカー・ワイルドの夢見た変化するキャンバスだ。近頃は自分の肖像画を玄関に（あるいは屋根裏部屋に）置いて毎日更新することさえできる。ＬＣＤは数年前に価格がぐっと下がり、写真が次々と変わるフォトフレームとして手軽にプレゼントできるほどになった。だが、あまり広がりを見せなかった。それどころか、ドリアン・グレイが変わりゆく自分の肖像を嫌悪したように、世間から疎まれた。思うに、その原因は画質ではない。スマホの液晶画面で自分を見るのが大好きな人はいくらでもいる。むしろ、使われているディスプレイの本質に由来する何かだろう。フォトフレームのディスプレイは詐欺師だ。流れ移ろい魔法のように夢を見させる存在なのに、確かで信頼できる現実の写真のふりをして、時の流れからある瞬間を切り取ってみせる。

機内で観る映画はなぜ泣ける？

一方、その同じテクノロジーが、薄型テレビという形でテレビに採用されたときにはすっかり普及した。ピクセルの色を連動させて切り替えることで、テレビ画面で動画を表示できるようになったのだ。おかげで、俳優の台詞、しぐさ、さまざまな表情を、そして今観ている映画であれば、ビルを次々飛び移って世界を悪から救うところを見ることができる。見えているのが実物ではないとわかっていても、原色ピクセルの集合がサウンドトラックに合わせて点滅しているだけだとわかっていても、それでも私は知性も情緒も刺激されて物語に入り込む。ここで、どうにも理解しがたいことがある。機内でこの映画を観ている体験と、美術館でティツィアーノの『キリストの降誕』のような傑作を観ている体験とで、どちらのほうが私の心を動かしそうか？　この問いへの私の答えは、正直言って、映画のほうだ。自慢にもならない。ティツィアーノの絵は優れた芸術作品であり、10型ディスプレイに表示されているスーパーヒーローの映画はその類いではないとわかっている。なぜこうも薄っぺらになるのか？　1万2000メートルの上空では芸術への嗜好がすっかり失われたりするのか？　それとも、飛行中という高ぶった情緒状態と何か関係があるのか？

絵画や写真のような静止画は内省の機会を、見るたびに自分がどれほど変わったのかを顧みる機会を与える。優れた芸術作品を再訪したときには、それがティツィアーノであれ、ヴァン・ゴッホであれ、フリーダ・カーロであれ、自分がどう感じたかについてこれまでの人生における変遷をたどれる。絵や写真が変わらなくても、自分が変わっていくにつれ、その絵や写真の自分にとっての意味合いが変わる。それに対し、機内に備え付けられたこの魔法のような液体画面の振る舞いはまったく逆で、映像のほうがどんどん変わり、別世界を望む生き生きとした窓と化す。高度1万2000メートルで雲の上を飛びながら、暗い客室の中で、私たちは空想の世界へ入り込む。束の間、神と化して、液体の窓から人間どもを見下ろす。その行いを眺め、その愚かさを笑い、その狂気じみたやり方に首を振る。すると、感情が高ぶる。ある学術研究によると、この高ぶりは、映画に描かれている親密さや温もりの感情と、1万2000メートル上空の管の中で赤の他人と隣り合わせで座って飛行中という厳しい現実との、極端なまでの対比に起因している。この説はいかにもそのとおりという気がする。私が映画を観て泣くのは機内だけだ。安っぽいお涙頂戴映画にさえ涙が浮かんでくるし、地上で見たらにこりともしなさそうなコメディに大笑いする。

映画が終わる頃、スパイダーマンは勝利を収めていたが、目の前の液晶で私がここまで観てきた場面の履歴は一切残っていない。表示が消え、別の夢を見せる体制が整っている。神様の気分が薄れる。スーザンはというと、ブランケットにくるまって寝ている。体を丸めたあの姿勢は一見楽そうに見えるが、経験から言って楽ではない。シェードを上げ、晴れ渡った青い空をこの目に拝ませてやりたくなるが、スーザンを起こすリスクは冒したくない。自分にも少しは眠気はないのか？　試しに寝てみるか？　靴を脱ぎ、シートを倒し、機内で寝るのに普段いかに苦労しているのかも忘れて試してみる。

第6章 本能：健康に欠かせない体液が嫌がられるわけ

唾液腺のありがたさ

唐突に目が覚める。スーザンが彼女の肩から私をぞんざいに押しやったからだ。私は頭を預けてしまっていた。輪をかけて恥ずかしいことに、私の口からよだれの細い糸がスーザンの袖めがけて垂れている。思わず手を出し糸をすくい取ったが、面と向かって謝ることができず、代わりにまだ寝ているふりをする。頭をシートの窓側へと倒し、硬質ポリプロピレン製の客室の壁とアクリル製のシートカバーのすき間に鼻を突っ込む。快適ではないし、体勢はぎこちないし、少々痛くもあるが、当然の罰だ。目はすっかり覚めたが、まぶたはしっかりつむっている。あとどれくらいこうしていれば、起こったことを両名が無理なく忘れたふりをできるだろうか？　これはわが人生で最も恥ずかしい出来事か？　否。だが学校でおもらしをしたときや、混み合ったレストランでトイレへ駆け込む途中に勢いよく吐いてしまったときや、出されたばかりのスープに向かって祖父がくしゃみをするのを目の前で見ていたときと肩を並べることは間違いない。わが人生のこうした恐怖の場面は、折に触れて脳裏に甦るのだが、印象の強さは衰える気配を見せない。体液が絡むとなぜこうも感情的になるのか？「体液」という言葉を思っただけで心がざわつく。マナーや習慣には排泄を抑えることに関するものが多い。だが、体液がなければ深刻な事態に陥る。体内にあるうちは健康に不可欠なのだ。ではなぜ、体から出た途端、こうも嫌がられるのだろう？

「お客様、チキンカレーとパスタのどちらになさいますか？」

機内食が配られている。私は椅子の中で向きを変えると、まだふらふらだという感じをおおげさに演じて、目覚めたばかりのふりをする。

「え？　すみません、何か？」

「チキンカレーとパスタのどちらになさいますか？」

「えっと、チキンカレーをお願いします」とあわてて言い、トレイテーブルを留めているつまみを回す。

よだれを垂らしてからまだスーザンと目を合わせていないが、機内食があのエピソードを水に流してくれる予感がする。２人ともこれから唾液が必要だ。

目の前に置かれたトレイからロールパンを取ってひと口食べる。柔らかいが、やや乾燥している。幸い、噛むという行為を引き金にパンが湿ってくる。唾液腺のおかげだ。すみやかに仕事に

典型的な機内食（ランチ）。

かかって液体をつくりだし、それがパンを覆って口蓋に付かないようにするとともに、風味を引き出している。まず甘味がしてくる。唾液がパンの糖分を溶かし込んで甘味の味蕾へ届けるからだ。続いて、パンの塩味などほかの風味が伝わってくる。

味蕾は、風味分子を届ける溶媒を必要としており、唾液はまさにその役割を担うよう進化してきた。パンには汁がないので、味わうためには唾液が要る。そもそも食べるために要る。だが、唾液は風味を溶かし込むだけではない。食べているものが栄養に富んでいるかどうかを判断したり、病原体や毒が混ざっていたときに警告したり、という味覚系の仕事にも貢献している。唾液には食べ物の消化を助ける酵素が含まれており、おかげで味蕾は、そして嗅覚の受容器も、口の中に何があるかを飲み込む前に分析できる。なかでも重要な酵素のひとつがアミラーゼだ。アミラーゼはデンプンを分解して単純な形の糖に変えるので、パンは噛み続けるほど甘味が増してくる。アミラーゼは、飲み込まれてからも炭化水素の分解を長いこと続けるし、口の中に残っていたり歯の隙間にはさまったりしていた小さなかすの分解も続ける。

唾液はほかにも、口内のpHを調節して能動的に中性を保とうとする。pHスケールは液体の酸性度ないしアルカリ度を示す。範囲は0〜14で、0が最も強い酸性、14が最も強いアルカリ性だ。純水は中性で、pHは7である。酸性の液体はすっぱいことが多く、たとえばレモンジュースはpH2だ。飲料はたいてい酸性で、オレンジジュースやリンゴジュースはもちろん、牛乳もそうだが、必ずしも酸っぱくないのは砂糖入りが多いからで、そうやって風味のバランスが取られている（コーラ類のpHは概して2.5だが、砂糖のおかげでかなり甘い）。

口内の細菌の多くは糖を食べて酸を出し、それが歯のエナメル質を攻撃してむし歯をつくる。だから歯科医は決まって糖分を控えろと言うのだ。それに対し、唾液は絶えず細菌を洗い流して、口内のpHを中性に回復させている。また、唾液にはカルシウム、リン、フッ素が過飽和状態で含まれており、エナメル質に沈着して歯を修復する。唾液にはこのように、エナメル質をコーティングして酸を寄せ付けなくするタンパク質、細菌を殺す抗菌物質、歯痛を和らげる鎮痛物質、食べている最中に口内にできる小さな切り傷をきれいにして治すその他の化合物が含まれている。言い換えると、唾液はほかに類を見ない歯科衛生処置であり、ヒト以外のほとんどの動物にとっては唯一の処置である。そして、歯や歯肉を守っているだけではない。口臭を防いでもいる。口臭の原因のひとつは、舌の裏で細菌のコロニーが繁殖することだ。

唾液腺から流れ続ける唾液は、口内を絶えず洗い流している。自分がいったいどれほど唾液をつくっているのかを実感したいなら、歯医者へ行こう。唾液の吸引装置があり、治療中に口の中に入れて唾液を吸い出し、歯の処置の邪魔にならないようにしている。だが、唾液腺はこの介入を快く思わず、吸い出されるのとほぼ同じ速さで唾液を補給する。平均的な人はこの極め付けの液体を毎日0・75～1・5リットル分泌する。

唾液腺を持っている種は多く、動物で何百万年もかけて進化してきたのだが、その用途は多彩だ。ヘビにもあるが毒をつくるためのもの、ハエの幼虫にもあるが糸をつくるためのもの、蚊にもあるが血を吸いながら、血が固まるのを防ぐ物質を注入するためのものだ。唾液を巣づくりで接着剤のように使う鳥もいる。それどころか、オオアナツバメなどのツバメは唾液だけで巣をつくり、中華料理でツバメの巣のスープの主な食材となっている。

ということで話を食に戻そう。ヒトの唾液の主な役割のひとつは、言うまでもないことだが、食べ物を湿らせて滑らかに動くようにして、飲み込みやすくすることだ。この潤滑作用がないと、ものを食べるのは本当に大変になる。クラッカーの早食い競争を見るとよくわかる。やってみたことがないなら、水を飲まずにクラッカーを1分間に何枚食べられるものか試してみよう。たいていの人は、1枚めにして乾いたクラッカーに唾液の大半を吸い取られ、2枚めにしてもう口の中が擦れて、かさばるぱさぱさの塊を飲み込むのにかなり苦労するだろう。だが極端に乾燥した一部の食べ物に対処する手段は唾液だけではない。私たちはよく同じ目的で食べ物と一緒に飲み物を飲む。乾いた食べ物にバター、マヨネーズ、オイル、マーガリンなどの脂肪を塗るのも同じ理屈だ。これらが潤滑剤として働くのである。

たいていの人は唾液が十分に出て食べたいものを何でも食べられるが、「ドライマウス（口腔乾燥症）」という、唾液がうまくつくられなくなる症状に悩まされている人もいる。ドライマウスは病気が原因のこともあるが、薬の副作用ということも結構ある。症状が進むとかなり大変で、固形物をまったく食べられなくなる場合もある。また、ストレスや悩み事を抱えていると一時的になることもある。人前でしゃべるのが苦手なら、話している最中に経験したことがあるかもしれない。唾液腺で唾液のつくられるペースが落ち、喉に渇きを感じる。そのため、つばを飲み込むことはもちろん、話すことさえとても難しくなるのだ。本書を読みながらつばを飲み込んでいる自分に気づいた読者もいるかもしれない。それは普通の反応であり、唾液系に神経系との結び付きがあることの表れだ。

歯医者が患者の口から余分な唾液を吸引するほどなのだから、血液と同じように扱ってドライマウスに悩む患者に提供できるのでは、とお思いかもしれない。だが、他人の唾液を欲しがる人はいない。それどころか、唾液はおおっぴらに拒まれる。他人の唾液をごくわずかでも消化する可能性があるからと、回し飲みを嫌悪する人も多い。だが、唾液回収の問題は嫌悪だけではない。唾液は体外へ出た途端すみやかに分解し、生命維持に不可欠な性質の多くが失われる。そのため、製薬会社は輸血ならぬ輸唾液の代わりに人工唾液をつくっている。主な成分は、むし歯を防ぐミネラル成分、口内のpHを安定化させる緩衝物質、食べ物を湿らせ飲み込みやすくする潤滑物質だ。人工唾液にはゲル、スプレー、液体がある。最愛の家族が、あるいは自分自身がこの製品のお世話になることになったら、唾液腺のありがたみが身にしみだすことだろう。

私はというと、唾液のおかげで乾燥ぎみのパンを食べることができ、食欲がわいてきたので、次は小さな容器入りでトレイに載ったサラダにかかる。トマトのスライスが入っているが、サイコロ切りのキュウリや千切りのレタスに比べてやや大きすぎだ。少しぱさぱさしていそうで、食欲をそそらない。サラダには小袋入りのドレッシングが添えられている。引き裂いて口を切ろうとするが、割に合わないほど苦労する。ようやく絞り出したベージュ色のヴィネグレットソースは粘り気が強すぎ、サラダに満遍なくかかることを拒んで、トマトやレタスの上にナメクジのような塊となって鎮座する。胃の辺りにうっすらむかつきを感じる。今の私がまさにやらかしているように、別のものに見立てるとむかつきを催す食べ物は多い。

どろりとした液体

食べ物に対する激しい拒否反応は、今でこそまずないが、子供の頃にはよく起こり、このヴィネグレットの塊にはすっかり当時の気分にさせられる。あの頃は、出されたものは何でも食べろとよく母に言われたものだ。それを拒むと、母は飢餓に関する世界統計を持ち出し、自分が今拒んでいる食べ物を食べられずに何人が死んでいったかを説いた。だが、効かなかった。私が感じていたのは嫌悪感であり、嫌悪感は本能的なものだ。理詰めの議論は嫌悪感には効かない、と私はそのたび母に訴えたが事態は改善しなかった。たいてい嫌悪感が道徳的な議論に勝り、どうにも受け付けない食べ物を食べようとすると、あるいは無理して食べると、喉もとに吐き気を催したものだった。子供の頃に嫌っていた食べ物は、大半がどろりとしていた。目の前のサラダドレッシングとまさに同じで、どろっとねちょっとしていながら、ずるずると動いていく。短い時間の範囲では固体のように振る舞いながら、長い目で見ると液体のように振る舞う――このような性質を粘弾性と言う〔より詳しくは、短時間の外力を受けると変形し外力がなくなれば元に戻る（弾性）が、長時間の外力を受けると流れ出す（粘性）という性質〕。だから、粘液は普通の液体とは違って、指でつまんではさんで持っていられるのだ。固さのようなものがあって、手からの圧力に弾力的に抗うのが感じられる。たいていの液体が散り散りになるところを、粘液はひとまとまりにくっついてくる。だが、しばらく持ち続けていると、流れ出して手からしたたり落ちる。この流れが粘弾性の「粘」の心だ。整髪ジェルがそんなふうに振る舞う。手に取れるが、実にゆっくりとはいえ流れる。ねっとりしたシャンプーや歯みがき粉も粘弾性だ。私たちはなぜか、この性質に浴室絡みでは嫌悪感を抱かない。どれも食べ物ではないからだろうか。

粘液のどろりと垂れる性質が、私たちに嫌悪感を抱かせる。なぜなのか？　ひょっとすると、体液を思い起こさせるから、そして体液が体外にあるのは自分の健康が脅かされているサインだからなのかもしれない。液状のうんちはそれはもう嫌なもので、たまたまその中にそれと知らず

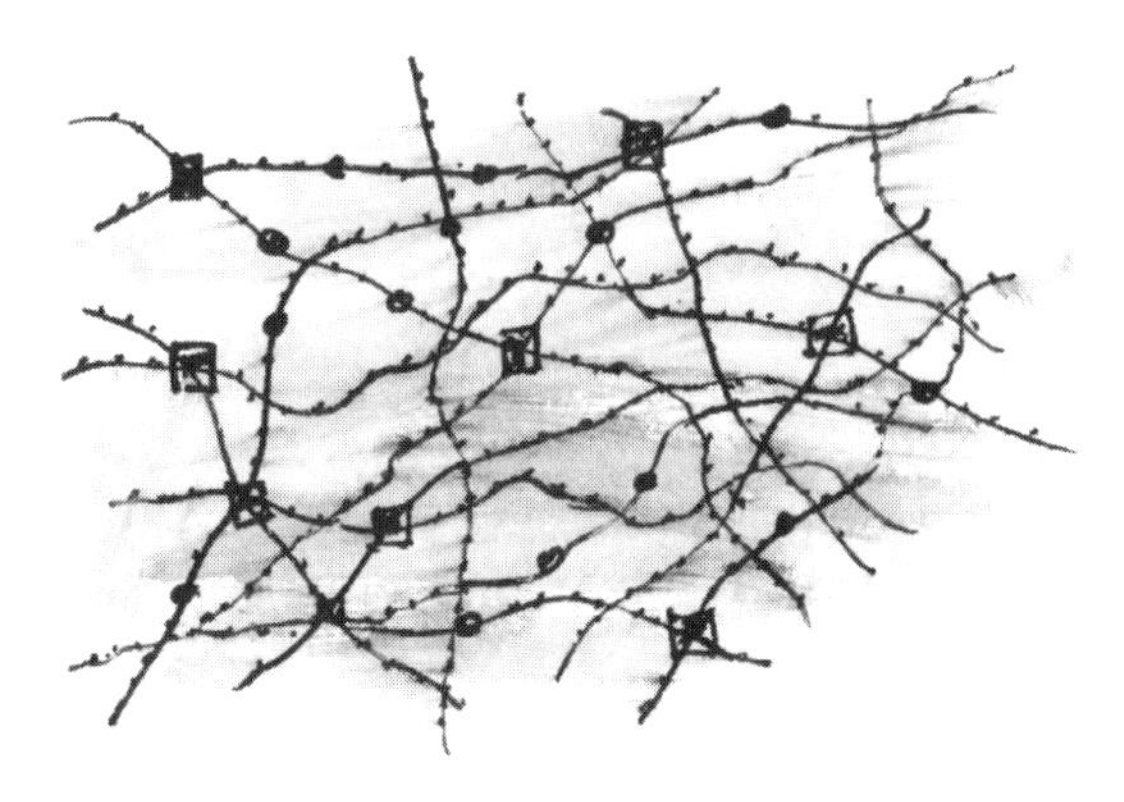

ムチンの構造。各種機能成分（四角、丸、三角で表現）が粘弾性の網目構造を形成して水を捕らえ、どろりと粘つくゲルになる。

に裸足で立ってしまい、つま先からぴしゃぴしゃするものがぐにゅっとにじみ出てくるの感じたときなど実にたまらない。一方で、硬い糞、とくに羊や牛の糞はほとんど気にならない。どろりとした緑がかった鼻水はとんでもなく嫌なものだし、それを口にする輩は本当に信じられない。子供は、いくら可愛くても、緑がかったゆるゆるの鼻水を垂らしていれば、親以外の誰からも嫌がられるし、当の親もわが子の鼻水を普通は喜んで始末しているわけではない。今私に嫌悪感を抱かせているのは、目の前のサラダドレッシングが見せているこの鼻水のような性質だ。ということで、食べないことにする。

どれほど気持ちの悪いものであれ、唾液の粘弾性からは巧妙な内部構造がうかがわれる。唾液に含まれるなかでも特に重要な分子のひとつがムチンだ。ムチンは大きなタンパク質分子で、たいてい粘膜から分泌される。粘液は体が保護層としてつくりだすどろりとしたコーティングで、外部からの異物や毒素や病原体にさらされうる場所、具体的には鼻や肺や眼で分泌される。煙にさらされると鼻から流れ出てくるのが、あるいはほこりが眼に飛び込んでくると眼の中にたまっていくのが、この粘つく物質だ。粘液が粘つくのは、ムチンをなすタンパク質の直鎖状の分子に、ほかの物質といつでも化学結合できる機能要素が多数付いているからである。言い換えると、樹脂の接着剤がくっつくのと同じ理屈で粘つく。

粘液系に嫌な思いをさせられるときも当然ある。風邪などの感染症にかかったりしたときを思い起こせばわかるだろう。鼻水や緑がかった痰がのどにたまってくる。ムチン分子は親水性で、水に引き寄せられる。また、互いに結合し、長い分子で網目をつくってその合間に水を捕らえる。これがゲルだ――ただし、粘弾性の。痰はムチンの結合に由来して固体のような性質を持つが、ムチンの網目構造は新たな構造にたやすく再編できるので、液体として流れる。流れることで、大きなムチン分子が流れの方向に揃い、そのためよだれが垂れるときにはくっついて長い糸を引く。互いにくっつくが流れもすることこそ、潤滑性という重要な性質を唾液に与えている。カタツムリやナメクジはきわめて似た物質をつくりだし、それを使って移動する。そのムチンたっぷりのどろどろした粘液は、こうした生き物がこの世界で移動するときの通り道を滑らかにし、行く先々に細い跡を残していく。これをさまざまな粘液と同様に嫌悪する人は多いが、カタツムリの粘液はヒトの唾液によく似ている。実は、今では集めてフェイシャルクリームとして売られてさえいる。カタツムリの粘液を顔に擦り込むことの効能はまだ実証されていないのだが、だからといって購買意欲はそがれないようである。

舌触りとしてお気づきかもしれないが、唾液の粘弾性は1日の中で変化するし、飲食の最中かどうか、ともすると健康状態によっても変わり、水っぽくて緩いこともあれば、ねっとりして糸を引くこともある。実際、つくっている唾液腺に応じて、粘り気にもさらにいろいろと違いがある。唾液腺を調節しているのは無意識の行動をつかさどる自律神経系で、唾液の分泌も対象のひとつだ。自律神経系には交感神経系と副交感神経系の2つがある。副交感神経系は食べるという行為を円滑にするのが役目で、食事中に水っぽい唾液を出す。食事が済むと交感神経系が仕事を引き継ぎ、寝ているあいだも含めて、口内を潤すとともに、感染症や虫歯と闘う。交感神経系の働きで分泌される唾液は組成や微細構造が異なり、そのため濃くて粘つく。私が知らないうちにスーザンに向けて垂らしていたような唾液だ。彼女の気分を推し量れないかと、顔を正面に向けたまま、横目でスーザンをちらりと見てみる。彼女はこれといった感情を見せずにパスタを食べている。

セックスと嫌悪感

私もチキンカレーに手を付けるときが来たようだ。少しばかりひょいと口に入れる。一口分ほどの大きさでソースがたっぷりかかった何かの食材のせいで、カレーが頬に付く。どうしていつもこうなるのかわからないのだが、私の場合、ソースたっぷりの料理を食べるときは、口の周りを絶えず拭いていないと顔じゅうソースだらけになる。最愛の人からも含めてはっきり言われているのだが、これは他人に嫌悪感を抱かせる。実を言うと、自分だってそういう相手に嫌悪感を抱くので、そうなっている自分を見た相手にどれほどの嫌悪感を抱かれたかを知ってなぜ自分は驚くのか、自分でもわからない。社会的には普通のようである――食べ物が口の外に出ていることに嫌悪感を抱くことのほうだ。そのうえよだれ混じりだったり、食べ物のどこかに噛み跡があったりすると、いっそう嫌がられる。それはもうひどい話。だが、乗り合わせたお仲間は心配しなくていい。私は食べている最中にナプキンをまめに使うし、よだれを垂らすタイプでもない。

食事は社会的な体験であり、そのプロセスは一歩間違えば嫌悪感につながりかねず、たいていの文化でテーブルマナーがとても重要だ。赤ちゃんや幼児は食べ方が汚い。不器用で、食べ物をうまくきれいに口へ運べないうえ、自制心を持ち合わせておらず、食べ物を口からペッと吐き出すこともあれば、テーブルの上や床の上、と言わずどこへでも、ことによると親に向かって投げたりする。行儀良く食べることは基本的な社会規範のひとつだ。具体的には、食べ物を口の中から戻し出す、よだれを垂らす、口を開けたまま食べる、といったことはしない。食事中にこうしたことは厳禁で、どれほど残虐な犯罪者でも、あるいはどれほど堕落したがさつ者でも、この社会規範は概して守る。平然と無視するのは本当に変か、錯乱しているか、病的な人だけだ。

というわけで、私は最善を尽くしてチキンカレーを行儀良く食べる。じきに、額が汗ばんでくる。カレーを食べているとよくこうなるのだが、それはカレーに含まれているトウガラシにカプサイシンという分子が含まれており、これが熱や危険を知らせる口内の受容器と強く結び付くからだ。そのため、香辛料の効いた食べ物を食べると、燃えているような温度ではなくても、口の中が燃えているような感覚になる。口の中が熱すぎになると、体は普通の反応として汗をかいて体を冷やそうとする。それが今の私の状態だ。汗も他人に嫌悪感を抱かせる体液だが、実際に抱かせるかどうかはえてして状況による。汗の存在が服の外から見えだすと、たとえにおっていなくても嫌悪感を抱かれる。飛行機で隣に座った誰かが大汗かきだったというケースが当てはまるだろう。それに対し、セックスの最中に汗をかくことは許容されており、現代ではたいがいの社会でよりセクシーだと見られる。

テキサス大学で近年行われたある調査では、大勢の被験者の嫌悪感を調べるのに、病原体嫌悪感、性的嫌悪感、道徳的嫌悪感という3領域の嫌悪感尺度が用いられている（こうした嫌悪感が実際にあることについては十分な証拠がある）。被験者の病原体嫌悪感レベルの評価では、冷蔵庫の残り物にカビが付いているのを見たときや、初めて見る不慣れな食べ物を差し出されたときに自分がどう反応しそうかが質問された。性的嫌悪感の評価では、さまざまな形態の性的体験について、あるいは不特定多数とセックスをすることについて、どう感じるかが尋ねられた。道徳的嫌悪感の評価では、成績を良くしようと試験でカンニングをする学生、収益を良く見せようとうそをつく企業、といったようなケースをどう感じるかが問われた。

その結果、予想外の新しい食体験を試したがる人ほど、性的嫌悪感のしきい値が高いことがわかった。厳密なことを言うと、この研究に関わった男性では、性交戦略と初めて見る不慣れな食べ物を食べる欲求および能力とに、統計的に有意な相関が見られた、というのが結論である。調査を行った研究者らの仮説によると、男性が特定の食べ物に対する嫌悪感を下げるのは、パートナー候補を感心させるためであり、自分が健康で免疫系が強く、したがって性交相手にふさわしいと証明する手段なのである。言い換えると、変な食べ物を食べることは求愛の儀式のようなもの。この説明には説得力がある。人は唾液を見ると普通は嫌悪感を抱くものだが、誰かに性的に惹かれていると嫌悪感は緩和されるようだ。唇へのキスを強引に求める――そして、恐れをなして身を引く私たち兄弟の顔を手でおさえつける――年の行ったおばの湿ったキスは本当にたまったもんじゃない。だが、愛する人との舌を絡める情熱的なキスでの唾液のやりとりは、頭から離れず、感情を揺さぶり、濡れさせる、本能的な体験である。この濡れに嫌悪感を抱くとしたら大問題だ――生殖の面で。セックス中の潤滑は重要だからである。セックスに貢献するのと同じ液体が、別の状況で嫌悪感を呼ぶことは、セックスへの期待が体液への抵抗感をいかに緩めるものかを物語っている。

情緒性の涙に含まれるホルモン

それはそれとして、私のチキンカレーが、あるいは私の食べ方が、スーザンから見て何らかの求愛行動と解釈される可能性はまったくないと自信を持って言える。頬と口の端からカレーを最後の最後まで拭き取り、トレイに載ったデザート入りの小さな器に目を移す。レモンムース——口直しに最適だ、とは思うがそれはレモンの風味が十分強ければの話。味蕾は酸っぱさを検知すると唾液腺を刺激し、唾液腺は口内のpHを中和しようと唾液づくりにいっそう励む。するとそのおかげで、今の私なら食べたばかりのカレーに入っていたスパイスやガーリックなど、口の中に残る強い風味が洗い流されるはずだ。だが、レモンムースに酸味が足りなければ、ムースを食べていてカレーの味も感じられてしまい、食欲がそがれる。幸い、このムースはきれいで軽くてふわふわで、レモン風味が強く、実においしい。

食事とは、命の糧を摂取する営みの域を、社会的なしきたりの域を、求愛行動の域を超えるものだ。そして、情緒的な体験でもある。このことには、もしかすると、申し分のない料理を消化しているときに放たれるホルモンが関係しており、それらが幸福感を高める、あるいは至福の喜びを感じさせるのかもしれない。食がもたらす至福の喜びは、おいしいものを食べるたびにこの胃袋から込み上げてくるように思える。涙腺を刺激することまである。

ムチンやミネラルや油をはじめ、涙と唾液には共通する成分が多いのだが、涙は唾液と違って社会で嫌悪感を抱かれない。涙には、基礎分泌としての涙、反射性の涙、情緒性の涙の3種類がある。基礎分泌としての涙は涙の基盤であり、眼を乾燥から守る、まばたきのたびにまぶたを潤す、ちりを洗い流す、といった基本的な機能を果たしている。また、細菌感染と闘いもする。反射性の涙は、煙やちりなど、眼が日々遭遇する種々の刺激物を洗い流す。そして、情緒性の涙は感情が絡む類いのものであり、このうえなくおいしい料理を食べたあと、崇高な音楽を聴いているとき、あるいは別れを切り出されたときに込み上げてくるかもしれない涙だ。情緒性の涙はほかとは成分が違って、ストレスホルモンが含まれている。その目的は明らかになっていないが、おそらくは他人にコミュニケーションやサポートを求める感情と関係がある。泣いている人を見ると、普通は同情心が、そして慰めたいという気持ちが湧く。二重盲検テストによれば、男性が女性の涙のにおいをかぐと、テストステロン濃度が下がり、性的に興奮するのがいくらか難しく感じられる。

何もかもセックス絡みというわけではない。だが、こと体液の話となると、セックスとかけ離れることは決してない。だから、スーザンが赤の他人からよだれを垂らされて嫌悪感を抱くのも当然である。

「お済みでしょうか？」と客室乗務員が聞いてくる。ワゴンの横に立ち、私のトレイを指さしている。

スーザンの膝越しにトレイを渡す。言葉を発したり目を合わせたりせずにできる、おわびの気持ちを最も込められそうな手渡し方を試みることにする。乗務員にトレイを差し出しながら、私は伸ばした腕のあいだに深々と頭を下げる。

第7章 一服…最高においしいコーヒー・紅茶を味わう

紅茶はどんな味であるべきか

「紅茶かコーヒーはいかがですか?」。通路のワゴンを押していた客室乗務員が私に声をかける。客室ではほとんどのシェードが下りているが、上がっているいくつかから差し込む日差しが暗闇を貫き、窓の外では太陽が相変わらず燦々と輝いていることを教えている。11時間のフライトの6時間が経った。客室は全体的にどんよりしている。どの乗務員も疲れて見える。

私はコーヒーが好きだ。というか、大好きだ。ただし、ブラックで飲む。一服の清涼剤としてではなく、興奮剤として。だが、高度1万2000メートルでは刺激されているように感じない。その一方で、淹れ方をわかっていない者の淹れた紅茶は、まずいコーヒーよりもさらにまずい。いったいなぜだ? 客室乗務員が退屈といらだちの入り交じった眼差しでこちらを見ている。

「紅茶かコーヒーは?」ともう一度聞かれる。

お隣さんはというと、飲み物がもうトレイテーブルに置かれている。小さすぎて実用に耐えない持ち手の付いたプラスチックカップにつがれてあるのはコーヒーだ。テーブルにはプラスチックの小袋も置かれており、砂糖、ミルク、小さなかき混ぜ棒、ナプキンが入っている。あまりそそられない。これはおいしくないに違いない。少し冷めていそうだし、おざなりだ。

「紅茶を」と言ってすぐ、「熱いですか？　その、すごく熱いお湯で淹れるんですか？」と付け加える。だが、私の質問は単調な低いエンジン音にかき消される。あるいは、乗務員は無視することにしたのかもしれない。スーザンのとまったく同じカップに紅茶を注いでトレイに載せ、やはりプラスチックの小袋を添えてこちらへよこす。

紅茶とはどんな味であるべきか？　私が一口めに求めるのは、味蕾をひとつ残らず刺激するような風味の活力だ。ただし、ココアパウダーの振られた泡立つカプチーノのようにこれ見よがしにではなく、喜びの波がとらえどころはないが確かに寄せてくるような感じで、満ち足りて思わず「あ〜！」と声に出してしまうような感じで刺激されたい。また、茶葉の風味をすぐに味わいたい。実物の葉のかけらを飲み込んだときのざらつきとしてではなく、口の中に広がる渋味、淀んだ客室の空気の味を一掃するに足るほどドライな渋味として。それに、風味のバランスが取れていることも望む。甘さと苦さが拮抗するが、どちらが勝つでもなく、後味としてかすかな塩味が感じられるほどに。たとえ酸味が感じられるにしても最小限に抑えられており、発酵によるフルーティーな風味が鼻へ立ちのぼってきて刺激する程度になっていてほしい。色も重要だ。紅茶は輝かしい黄金色に透き通っていなければならず、かといってカップの底が見えないほど色が濃くてもいけない。理想的には、それを紅茶が出される前に確かめたい。ティーポットから注がれている最中に。カップに注がれている紅茶のたてる音も聞きたい。それをきっかけに、自宅で家族と一緒にキッチンテーブルを囲んで紅茶を飲んでいるときという（今とはかけ離れた）暮らしのひとときがよみがえるように。

こうした期待に胸を膨らませつつ、一口味わってみる。

ひどい。

気の抜けたコーラから甘みを抜いて温めたような味がする。何か逃していないか確かめようと、もう一口味わってみる。今度はカップのプラスチックのまずい味をうっすら感じる。横目でスーザンを見てみると、本を読みながらコーヒーを満足げに飲んでいる。はっきり言って、選択を間違えた。

それはさておき、お茶は温かい飲み物のなかでは世界一飲まれていると言われている。この件に関して信頼できる情報を集めるのは難しいのだが、推定によると、イギリスでは紅茶が平均して毎日1億6500万杯飲まれている。ちなみに、コーヒーは7000万杯だ。世界中のほかの国でもこの構図に変わりはない。では、紅茶にあってコーヒーにないのは何か？　そしてもっと大事なこととして、なぜ紅茶はひどい淹れ方をされることが多いのか？

目の前にあるこの茶葉の生涯は、熱帯と亜熱帯でのみ生育する一見平凡な低い常緑樹の新芽と

茶畑

してスタートした。脇を通りがかっても、その木がこれほどの喜びの元だとは決してわからないだろう。われらが祖先はそれに何千年も前に気づいたのだ。その木は湿気や雨を好むが、高温は好まないことから、生育に理想的な場所は、中国雲南省の高地、日本の山間地、インドのダージリン地方のヒマラヤ山麓、スリランカの中央高地など数えるほどしかない。世界最高の、あるいは少なくとも世界最高額の茶葉は、中国の武夷山で採れる大紅袍で、1キロ100万ドルでも飛ぶように売れる。

立地や標高、生育シーズンごとの実際の気象条件がどれも茶葉の風味に影響を与える。業者にとっての大きな悩みの種のひとつが、さまざまな産地で採れた茶葉をブレンドして、月によらず年によらず味わいを一定に保つ術を見いだすことだ。

紅茶にも種類がいろいろあるが、出どころはすべて同じ木、チャノキである。緑茶と紅茶（や白茶、黄茶、烏龍茶など）の違いは、茶葉の加工法だ。毎年収穫シーズンになると、チャノキの新芽が手摘みされる。芽はすぐさましおれ始め、酵素が働きだして葉の分子機構を壊す。すると、葉緑素の緑色の色素がまず茶色に、続いて黒になる。ハーブを冷蔵庫に入れっぱなしにしたことがあれば、この作用を目にしたことがあるだろう。

緑茶をつくるには、葉を摘んですぐに熱処理をする。熱によって酵素の働きが止まり、葉緑素が無傷で保たれるので、色は緑のままだ。一般に、葉はそのあと揉まれる。すると、細胞壁に傷が付き、風味を決める分子をたやすく抽出できるようになる。緑茶の風味を構成しているのは、渋味（由来はポリフェノール類の分子、ワインの話に出てきたタンニンもその一種）、苦味（カフェイン分子）、甘味（糖類）、舌触り（ペクチン）、ブロススープを思わせるうま味（アミノ酸）、そしてアロマオイルのような香りだ。お茶がおいしいのは、こうしたさまざまな要素のバランスが繊細に取れているからであり、これらがそれぞれ最大限に引き出されているからではない。

紅茶づくりに使われる葉は緑茶と同じだ。加工の仕方が違うだけである。紅茶の場合、しおれた葉が揉まれ、分子機構が酵素の働きで空気中の酸素と反応して壊れていく。葉を酸化させるのだ。すると色が緑から濃い茶に変わり、まったく異なる風味分子の数々がつくられる。苦いタンニンをはじめとするポリフェノール類の多くが、もっと風味豊かでフルーティーな分子に変わる。紅茶の風味を形作るこうした分子は酸化の結果なので、このあと空気中の酸素と反応して壊れるという心配があまりない。そのため、乾燥後は緑茶よりも紅茶のほうが、風味が失われずに

インスタントのリキッドティー製品。

保存できる期間が長い。

味を決める4つの要因

話はこれで終わり、とお思いかもしれない。あとは良さそうな紅茶を選んでお湯を注げば、おいしい飲み物の出来上がりだと。だが、紅茶はいともたやすく台無しになる。ほかのカフェインベースの飲み物、たとえばコーラの類いは、いつどこで飲んでも同じ味がする。これは、生産プロセスが工場で管理されているから、そして飲料の風味が保存や輸送で大きく損なわれることがないからだ。台無しになる可能性の大半が排除されているのである。飲む温度が（本人の好みで）ふさわしくなくても、器が（本人の好みで）ふさわしくなくても、化学組成は毎回安定して同じである。発明家は長年、紅茶でも同じことを実現しようと、抽出物を液化してインスタント飲料をつくって自販機で売ってきた。だがこれまでのところ、そうしてつくられた飲み物がヒットした試しがない。その理由はひょっとして、味がおいしい紅茶からかけ離れているからではないだろうか。この違いの原因は、紅茶独特の風味をなす大事な成分の多くが、抽出されるとすぐ壊れてなくなることだと考えられている。

『1984』や『動物農場』(ともにハヤカワepi文庫ほか)といった政治SFの古典でよく知られている作家ジョージ・オーウェルは、まずい紅茶の問題を非常に気にし、この飲み物に関する小論を発表してまでいる。そこでは、完璧な紅茶を淹れるための11カ条が挙げられている。紅茶を淹れるのにはティーポットを使うべし、ポットは温めておくべし、ミルクを注ぐのは紅茶をカップに注いだ後にすべし、といったことだ。科学は、何をもって完璧な紅茶とするかについてはこれといった見解を示していないが、オーウェルによる洞察のいくつかについて、その重要性を裏付けてはいる。基本的に、淹れられる紅茶の質を大きく左右する主な要因が4つある。茶葉、水質、お湯の温度、抽出にかける時間だ。

茶葉が風味に富んでいるほど、淹れた紅茶の風味も豊かになる。だが、落とし穴がある。最高の紅茶とは自分がいちばんおいしいと思う紅茶だという、ジョージ・オーウェルの賛同していない意見にあなたが賛同している場合、お好みが普通のティーバッグで淹れた紅茶だったなら、格段に風味豊かで飛び抜けて値の張る大紅袍で淹れられた紅茶を飲んでも、そちらのほうがおいしいとは感じないだろう。何がいちばんかという感覚は、結局のところ主観の問題なのだ。ワインがそうだし、たいていのものがそうである。一方で、多種多様なお茶(世の中には1000種類ほどがある）を飲んだ経験がないなら、あなたをもっと満足させるお茶がどこかにあるかもしれない。風味の点で、お茶はワインに劣らず洗練されており、価格の高さはそれを一部反映したものだ。だが、ワイン産業と同様、俗物的な悪習のいくつかに染まりやすくもあり、希少性や販売戦略が商品の質よりも幅を利かせていることが多い。また、緑茶や烏龍茶から南米のマテ茶やスリランカの紅茶まで、お茶は種類があまりに多く、自分の好みを探すのに時間がかかることがある。私にとって完璧な紅茶は1日のうちで変わる。朝、目が覚めた直後はミルク入りの濃いブレックファストティーがいい。落ち着くし、目が覚めるが、強引ではない。午後にはアールグレイの紅茶がほしくなる。シトラスとベルガモットの絶妙な組み合わせがどんよりした気だるい雨の午後にパンチを効かせる。

スーザンに好みの紅茶があるなら、どんな紅茶だろうか？　もしかすると、紅茶を飲まないとか。紅茶を飲まない人に対しては、わが家にお招きしたときに何を出せばいいかわからないことが問題となる。「紅茶でもいかが？」は知る限り歓迎の意を最大限に表す言葉だ。私の場合など、訪問者が玄関のドアを閉める前に口をついて出てくる。ささいな申し出に思えるかもしれないが、多義的だ。「わが家へようこそ」という意味であり、「あなたを気遣っています」という意味であり、「うちにはこんなおいしい乾燥茶葉があるんですが、何千キロも離れた気候の違う遠い異国で摘まれて加工されたものなんですよ。私って趣味がいいと思いませんか？」という意味……でもあった。紅茶が普及しだした18世紀イギリスでの話だ。以来、紅茶を出すことはイギリスでは既定の歓迎セレモニーとなり、キスや握手やハグよりも、あるいは他国で営まれている一見もっと親しげないかなる歓迎セレモニーよりも普通に行われている。だからこそ、ジョージ・オーウェルはティーポットを使うようにと主張したのだ。ティーポットは紅茶を淹れるためだけの器ではない。一家の中心における共有の精神を具現化したものだ。惜しみない配慮と注目、お湯で満たされたポットのたてる音、ポットの美しい外観、抽出されるまで待つ時間、ずらりと並ぶカップ。どれもがこのセレモニーの一部なのである。

紅茶による歓迎セレモニーを執り行うに当たっては、良質の水を使わなければならない。当たり前だと思うかもしれないが、このことはオーウェルも見落としたようだ。紅茶は大部分が水なので、水が風味を大きく左右することは想像に難くない。水の味は水源によって違う。天然の湧き水と台所の水道水で味が大幅に違うのは当然として、水道水も地域によって味が結構違うことがある。水の風味やにおいの元は主に、含まれているミネラルや有機物、そして塩素などの添加物だ。しっかりした味わいの紅茶を淹れたいなら、ミネラルを少量含む水を使う必要がある。蒸留された純水で淹れた紅茶は味気ない。ミネラルが多すぎてもうまくいかず、それは水の風味が紅茶の風味を圧倒するからで、塩素濃度の高い水の場合も同じことになる。普通の水道水でたいてい問題ないが、pHは中性でなければならない。酸性だと水源から蛇口まで水を運ぶ金属パイプの錆のせいで金属っぽい味のことが多く、アルカリ性だと石けんのような味になりやすい。かび臭さの元は、往々にして微生物の副産物だ。夜中など、水が管内に長時間留まることもある。その場合、パイプが古かったり、特定の金属でできていたり、管内が酸性だったりすると、ごくわずかだが腐食が進み、たとえば明け方に水の味が「なんとなく変」になる。そんな気がした場合は、水をしばらく出しっぱなしにしてからケトルを満たせばいい。硬水の地域にお住まいで、付近の地質がもとで水にカルシウムが豊富に溶け込んでいると、水に含まれるカルシウムイオンが紅茶の有機分子と結び付き、固体の膜をつくってカップに浮かぶ。これは「スカム」と呼ばれている。スカムの浮いた紅茶はおいしそうに見えなくなり、紅茶による歓迎セレモニーをすっかり台無しにしかねない。硬水の地域にお住まいなら、水をフィルターに通せばスカムはできなくなる。内壁でスカムを捕らえるティーポットを使うという手もある。

水を確保したら、沸かさなければならない。お湯に溶け出す風味分子は、紅茶を淹れる温度に応じて異なる。つまり、紅茶の味、風味、色のバランスはお湯の温度で決まる。温度が低すぎると風味分子の多くが溶け出さず、味わいが淡泊になり、色が薄くなる。かといって、温度が高すぎるのもよろしくない。紅茶に苦味や酸味をもたらすタンニンなどのポリフェノールが度を超して溶け出すからだ。緑茶ではこれらの濃度がきわめて高く、ことさら苦くてえぐみの強いお茶がお好みでない限り、淹れるのに最適な温度は70〜80℃だ。

カフェインは苦味の強い分子で、水に簡単には溶けない。カフェイン濃度の高い紅茶がお望みなら、お湯を高温になるまで沸かして、たくさん溶け出すようにする必要がある。幸い、紅茶は酸化されており、タンニンなどのポリフェノールの量は少ない。そのため高温で淹れても苦みは度を超さず、カフェイン濃度の高い紅茶を飲んでも顔をしかめるようなことにはならない。100℃で5分間淹れた紅茶は濃くて強い風味となり、標準的なカフェイン濃度は1杯当たり50ミリグラムとなる（普通のコーヒーで100ミリグラム）。機内で紅茶を淹れる際に問題となるのはこの点だ。高度1万2000メートルを飛ぶ機内の気圧は海水面の気圧よりも低いので、水の沸点が下がり、淹れる紅茶の風味に影響する。紅茶を淹れる際に重要なのは、淹れ始めの温度だけではない。味や色を決める分子が水にしっかり溶け出すためには、茶葉がある程度の時間お湯にひたっていなければならない。ひたっているあいだにお湯の温度が大幅に下がれば、抽出される風味分子が減る。寒い場所で紅茶を淹れたり、紅茶を淹れ始める前に器が冷めていたりするとそうなり、ティーポットが温まるのに対してお湯がぬるくなる。だから、ジョージ・オーウェルは紅茶を淹れる前にポットを温めておけと言うのだ。低温の埋め合わせに、時間をかけて抽出するという手があるが、完璧に淹れられた紅茶の複雑な風味をなす塩味、甘味、苦味、酸味、うま味、そして大量の各種揮発性物質の比率は再現されない。

要するに、紅茶は非常に複雑なうえ、風味に影響を及ぼしうる要因が多いので（紅茶の種類、水、抽出時間、お湯の温度）、焦点がなんともたやすく見失われ、その結果として望みとはかけ離れた味になってしまう。これこそが、私が今飲んでいる目の前の紅茶でまさに起こったことだ。乗務員たちは最善を尽くし、機内で水の沸点が低いことを補おうと、抽出時間を長めにとって、温められた背の高いステンレス製のポットで紅茶を淹れており、おかげで抽出中の紅茶の温度は高く保たれている。だが、そのあとワゴンに載せて私のもとに運ばれてくるまで、おそらくは15分前後かかっており、そのあいだずっとただそこにあるうちに刻一刻と温度が下がって風味が落ちていった。ようやくこの小さなプラスチックカップに注がれたときには、フルーティーな味わいや葉の風味がほとんど失われていた。味わいは豊かだったものの、冷めていて、苦味と酸味が増していた。そのうえ、カップにも特徴的なえぐみがある。これらすべてが相まって、気分が一新され喉の渇きを癒やすという私の望んだ体験はできなかった。それどころか、嫌悪感と紙一重だった。もう二度と頼むまい。

ミルクはいつカップに加える?

ところが、私はさらなる過ちを犯す。この一杯を救えるかもしれない、うんざりさせられたこのがっかりな茶色い液体を美味なる何かに変えられるかもしれない、と思ったのだ。使うのは、トレイに載せてよこされたプラスチックの小袋の中身である。ミルクの容器の口を開き、紅茶に注ぎ入れ、ポリスチレン製のスティックでかき混ぜる。紅茶の色が濃い茶から白みがかったオーカーに変わる。実にいい色だ。ミルク入りの紅茶は私好みである。ミルクは甘く、適量の塩分や脂分が含まれている。ミルクの脂肪は小さな液滴のような形をしており、大きさは1000分の1ミリほどで、ミルクに数々の風味や豊かな口当たりを与えている。ミルクを紅茶に注ぐと、この脂肪の液滴が拡散し、色と味を支配する。麦芽のような、ほとんどカラメルに近い風味がもたらされ、紅茶本来の渋味に対抗するクリーミーな感じが加わる。また、紅茶に含まれる多くの風味分子を吸収するので、フルーティーな味わいと苦味が抑えられる一方で、ますますクリーミーになる。

ミルクをいつカップに加えるべきか。イギリスではそれこそ一大争点だ。一方の陣営は、紅茶を注ぐ前に加えるよう忠告する。こうすると熱い紅茶が徐々に注ぎ足されるので、ミルクの液滴の加熱が穏やかになる。含まれるタンパク質の分子構造が変わって凝乳化して「腐ったような」風味が加わる温度にならないようにできるのだ。ほかにも、ミルクを先に入れておくことで、磁器製のティーカップが熱い紅茶による熱衝撃で壊れることがなくなり、ひび割れを防げるという主張もある。こちらについては、昔はそうだったが、今では問題にならない。現代の磁器は格段に丈夫だからだ。もう一方の陣営にすると、ミルクを先に入れておくなど到底許せない。完璧な紅茶とは、まず紅茶を注ぎ、それからミルクを加えるものなのだ。ジョージ・オーウェルはこちらの陣営で、こうすれば自分好みのクリーミーさに合わせてぴったりな量のミルクを足せると主張する。

ミルクを加えるのが前か後かで味が変わるのか、とお疑いかもしれない。あってもごくわずかでは、と。だが、ロナルド・フィッシャーが『実験計画法』(森北出版)でこの問題を徹底的に追究しており、そのために統計的な手法を新たに考案した。彼による無作為化された味覚実験によれば、ミルクを加えるのが紅茶を注ぐ前か後かで生じる味の違いを、お察しのとおり、人は区別できる。

フィッシャーが述べた手法は統計学という数学分野に革命を起こしたが、残念ながらイギリスにおける紅茶の淹れ方には革命を起こさず、そのため今なお、カフェで紅茶を頼んでも、客にはミルクと紅茶の入れる順序にこだわりがありうる、と店員が意識していることはきわめてまれだ。これには本当に頭にくる。往々にして、たとえば駅でなら、相手はお湯の入ったカップにティーバッグをぽちゃんと入れるとミルクをすぐさまさっと足してこちらによこす。「材料は全部入れましたからね。紅茶に間違いありませんよ」と言っているかのように。それに対し、「でも、ミルクを注いでほしいのが前か後か、こっちに確かめてないじゃないか」と、私は内なる怒りが煮えたぎったときは心の中で言い返す。ミルクを先にしろと言いたいのではない。この点についてはジョージ・オーウェルと同意見で、後がいい。それでも、相手にこちらの希望を確かめてほしいのだ。ジョージ・オーウェルも賛同するに違いないが、こうした現状は、イギリスにおける紅茶の淹れ方の伝統がどん底の状態にあることを示している。紅茶は今でも国民的な飲み物だが、こんな状態が続けばコーヒーに取って代わられるかもしれない。何しろ紅茶の場合とは違い、全国の店で出されるコーヒーの質がここ数十年で高まっている。その主な要因はたった1つの装置、エスプレッソマシンだ。

コーヒーの大問題

お隣のスーザンの飲んでいるコーヒーの生涯は、私の飲んでいる紅茶よりもさらにトロピカルな環境で始まった。コーヒーノキが生えるのは概してブラジルやグアテマラのような国の森林で、そこは夏の気温が高く、雨が大量に降る。コーヒーノキもチャノキと同様、動物や昆虫に食べられないようにするための自衛手段として、化学物質による防御をカフェインなどの強力なアルカロイドという形で進化させてきた。アルカロイドは生き物の代謝を乱しかねない。カフェインの苦味は、飲もうとしているものは毒かもしれない、という口からの生物学的な警報だ。ところが、私たちはカフェインについては無視している。なぜか？　おそらく、カフェインの人体への作用を好むようになったのだろう。ニコチン、モルヒネ、コカインといったほかの天然アルカロイドの場合と同様に。それにしても、こうした向精神物質のなかでカフェインは最も広く摂取されている。カフェインは神経系を刺激して、眠気を覚まし、集中力を高める。また、利尿性があって、つくられる尿の量が増える。つまり、濃いコーヒーを飲むと、トイレが近くなる。カフェイン摂取も度がすぎれば、不眠に陥ったり不安が募ったりしかねない。カフェインはアルコールと同じく血流に直行するので、作用はすぐに表れる。また、ほかのアルカロイドと同じく中毒性がある。日常的に飲みだすと、やめるのはかなり難しい。禁断症状はときに深刻で、頭痛、疲労感、いらいら、倦怠感に悩まされるようになる。

私たちの飲むコーヒーの抽出に使うのは挽いた豆、その豆はコーヒーノキの種（たね）だ。種には炭化水素が糖として大量に含まれており、新たな芽を出すために種が必要とするエネルギー源となっ

ヒートガンを用いたコーヒーの焙煎。

ている。豆（種）にはタンパク質も含まれており、この植物の中核をなす分子機構として、繁殖のプロセスにおいて——新しいコーヒーノキの生育中に——種に指示を出す。熟した豆は、収穫され、発酵され、果肉から出して乾かされる。この段階の豆は硬くて薄い緑色だ。次が焙煎で、コーヒーに含まれる多種多様な風味は焙煎によって生まれる。その気になれば自分の飲むコーヒーを自分で焙煎できるのをご存じだろうか。私は体験したことがある。最寄りのコーヒー店で生のコーヒー豆を買い、ステンレス製のふるいに入れ、絶えずゆすりながらヒートガンでしばらく熱するのだ。1杯分を5分ほどで焙煎できた。コーヒーが大好きなら、一度は試してみてほしい。この飲み物について本当にいろいろなことが学べるだろう。

豆を熱していて最初に気づくのは色の変化だ。まず黄色くなる。豆内部の糖がカラメル化しだすのである。その後、温度が上がるにつれて豆内部の水が沸騰し始め、蒸気の圧力が高まりだす。この状態にあることは、豆が圧力に負けて割れて開く音でわかる。加熱を続けると、豆をなす分子が壊れだすが、互いに反応し始めもする。これは茶葉づくりとはまったく違う熱の使い方だ。お茶の場合、熱は概して化学反応を止めるのに使われるのだが、コーヒーの場合は、風味の大半をつくる化学反応が焙煎によって始まる。とりわけ重要な反応のひとつが、豆のタンパク質と炭化水素とのあいだでなされる。メイラード反応と呼ばれており、豆が160~220℃に達すると起こる。メイラード反応からは多種多様な風味分子がつくりだされ、この反応が始まるとにおいですぐわかる。豆からコーヒーらしい香りやうま味の数々が生まれるのがこの段階だ。同じ化学反応が、パンを焼くときにはおいしい外皮をつくり、肉をローストしたり焼いたりするときにはカリッとしたおいしい表面をつくる。この反応によって、豆の色は黄から茶に変わる。また、二酸化炭素ガスが生まれ、これがのちにコーヒー表面に浮くクレマと呼ばれる細かい泡をつくることになる。この段階で、豆からはじけるような音が聞こえてくるだろう。内部にたまったガスのせいで内部構造が壊れ、大きく膨らんだ結果だ。

　さらに焙煎を続けると、豆はこげ茶に変わっていく一方、酸とタンニンが壊れて風味がまろやかになっていく。すると、はじけるような音が再び聞こえてくる。内部構造がいっそう脆く弱くなったからだ。この段階になると豆の表面から油が少しばかり漏れてきて、豆の細胞構造がすっかり壊れたことがわかる。豆の15パーセントほどを占めているこの油が、フレンチロースト特有

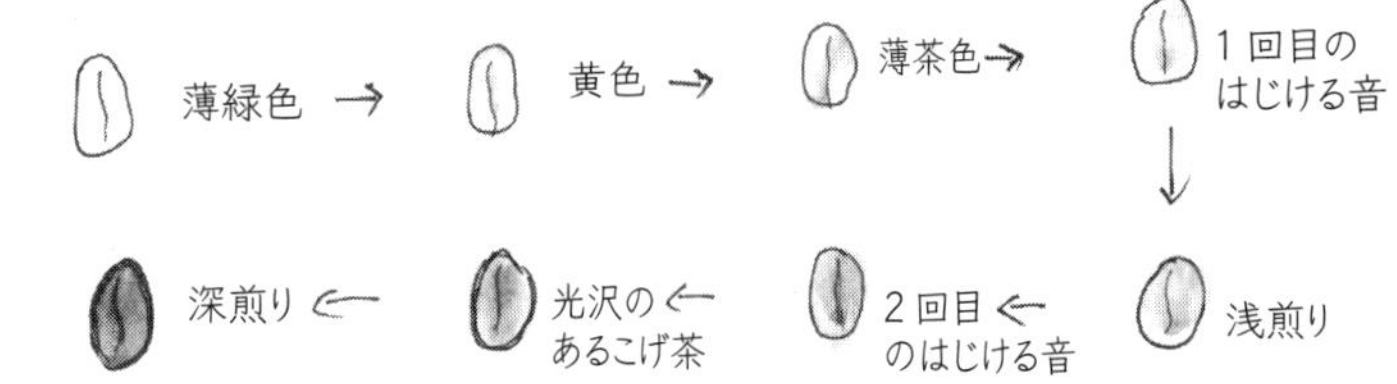

コーヒー豆の色が焙煎中に変わる様子のスケッチ。

の光沢を表面に与える。さらに焙煎を続けると、豆の光沢は増すが味は落ちてくる。分子が高温によって風味に乏しい小さめの構造に分解されるからだ。また、水溶性の炭水化物が大量に失われ、コーヒーの口当たりがシロップのようになる。概して、豆が黒いほど、風味は特徴に乏しく淡泊になる。

焙煎するのが自分の豆なら、どのような風味になるかを好きなだけ試して、自分の味覚にぴったりな味わいを探すことができる。私はみずからの手で試した経験から、焙煎に携わる方々のすごさがよくわかった。焙煎の温度と時間という、一見シンプルな2つの要素を操るだけで、彼らは同じ豆から途方もなく幅広い風味を引き出せるのだ。

豆を焙煎したら、風味を残らず引き出してカップの中へ届けなければならない。知られている最も古いコーヒー挽き方・淹れ方は、15世紀イエメンのやり方だ。当地のアラブ人社会では、コーヒーを素朴な乳棒と乳鉢で挽き、それを水に混ぜて沸かしていた。中東ではこれが今なお一般的な淹れ方で、トルコ式コーヒーなどと呼ばれている。こうすると色も味もずいぶん濃いコーヒーが入る。液体にはコーヒーの味覚物質のほかに粉も混ざっており、おかげで口当たりが滑らかになる。だが、飲み進むにつれてこの滑らかさがざらつきに変わることがあるし、カップの底にはもっと大きな粒のおりがたまる。それに、トルコ式コーヒーはかなり苦い。挽いた粉から沸点で抽出するので、苦味の強いカフェインなどの分子が大量に溶け出すからだ。一般にはそれなりの量の砂糖を混ぜて苦味とのバランスを取って飲まれており、カフェイン濃度の高い苦くて甘い飲み物となっている。強烈な風味に一発かまされたうえ、大量の砂糖とカフェインによるワンツーパンチも浴びたいというならうってつけだ。ただ、これはこれで満足できるにしても、このやり方でコーヒーを淹れると、豆の発酵でできるフルーティーな風味の多く、そして焙煎で生まれるナッツやチョコのような風味が抜けてしまう。

かくして、コーヒーの大問題のひとつにたどり着く——ややもすると豆の香りのほうが実際の味よりもいいことだ。なぜか？　口の中で放たれるべき香り成分の多くが抽出中に空気中に散ってしまい、苦味や酸味ばかりが残って香しい物質がほとんど残らないからである。抽出中に香りが大幅に失われるという事態を防ぎたいなら低温抽出がいちばんなのだが、そうすると苦味が出てこなくなるし、カフェイン濃度も低くなる。

トルコ式コーヒーの滑らかな口当たりは実にいいのだが、最後のほうでざらついてくるのがいただけない。そのため、コーヒーの粉と液体との分離が抽出プロセスの大きな課題となった。そこで登場するのがコーヒーフィルターだ。目の細かい網やペーパーフィルターでコーヒーを漉すと、お湯は細かい粉に触れるが、そのあとフィルターを通ってしたたり落ち、粉を残して別の器に入る。抽出の速さは、お湯が粉の合間をぬって落ちていくのがどれくらい大変かによる。粉が多すぎたり細かすぎたりすると、落ちるまでに時間がかかってお湯の温度が下がり、風味をもたらす分子を残らず抽出することができなくなる。また、お湯が多すぎたり粉が粗すぎたりすると薄く入り、風味に乏しく酸味が強すぎになる。お湯が粉と接する時間を十分とれないからだ。

だがうまくやれば、フィルターを使うことで澄んだ黄金色の温かい粉なしコーヒーを味わえる。ただし、クレマがない。完璧なコーヒーには表面にクレマが浮いてないと、という人は多い。クレマは、焙煎プロセスでできた二酸化炭素ガスが、挽かれた豆からコーヒーの抽出中に放たれてできる泡である。フィルターを使うと、そこを通るあいだに二酸化炭素がすっかり放たれてしまう。でも心配ご無用。ここ400年のあいだに、クレマが保たれるような抽出法がほかにいろいろと発明されている。たとえば直火式エスプレッソメーカーにフレンチプレス、そしてご存じエスプレッソマシンだ。

ジレンマを回避する

フレンチプレスならクレマができるし、フィルターを使うよりも概して速い。まずコーヒーの粉を100℃ほどのお湯と混ぜる。お湯の温度はコーヒーの抽出中に――たいてい数分で（それ以上抽出しても風味は増えず、苦味が増す）――70℃ほどまで下がる。すると、最初は粉の表面が熱

直火式エスプレッソメーカー

いお湯にさらされて風味分子が急速に抽出されるが、温度が下がるにつれて抽出量が減る。お湯が粉の内部まで届きにくくなっていくからだ。二酸化炭素はこのタイミングで粉から放たれて容器内の湯面へ逃げ、お湯を捕らえてクレマをつくる。コーヒーの抽出が終わったら、フィルターを押し沈めて、抽出をやめるとともに粉を集める。そのあとすぐコーヒーを注げば、バランスの取れた熱いコーヒーが入り、その表面には嬉しいことにクレマが載る。苦味を増やさずに強いコーヒーをつくりたいなら、粗挽きの粉を多めに使うか、細引きの粉を少なめに使えばいいのだが、後者では粉がフィルターを通り抜けてカップに入ってしまうことが、前者では粉から風味をあまり抽出できないことが、それぞれ問題となる。

このジレンマを回避する方法のひとつが、直火式のエスプレッソメーカーを使うことだ。水はコーヒーの粉と隔てられた区画に入れられる。この水が熱せられて沸騰すると熱い蒸気ができ、ポットの内圧が最終的に大気の1.5倍ほどにまで上がって、お湯をコーヒーの粉の合間へと押しやり、抽出が済むとノズルを通って上の区画に溜めていく。この直火式で淹れるとフレンチプレスやコーヒーフィルターを使うよりも風味分子がかなりたくさん抽出されて、濃い一杯が入る。だが欠点があり、沸騰室の水位が下がるとてつもなく熱い蒸気がお湯と混ざり、それもコーヒーの粉の合間を通り抜けるので、その高温のせいで苦味が大量に抽出され、こげ臭いコーヒーが入る。

エスプレッソマシンは、直火式エスプレッソメーカーの原理を改良して、コーヒーがこれ以上ないほど安定に――そして最高においしく、と言う人もいる――入るようにしたものだ。エスプレッソとは「速い」の意で、コーヒーが30秒で入る。このマシンはお湯を88～92℃まで熱し、大気圧の9倍という強力な圧力で押し出してコーヒーの粉の合間を通す。この高圧によって最大限の風味が抽出されるうえ、蒸気に頼っていないので苦味や酸味が強すぎることもない。スピードは重要だ。コーヒーから揮発性物質が空気中に逃げる時間がほとんどないのである。できあがったコーヒーは、ナッツの風味と土臭さとうま味のバランスが絶妙だし、フルーティーで酸味があり、ワインのような渋味もあって、風味たっぷりだ。

エスプレッソマシンの機構は制御が行き届いており、毎回おいしいコーヒーが入るうえに仕事が実に速い。そのためたいていのコーヒーショップで使われている。あのマシン1台でどんな類いのコーヒーでもつくれそうだ。そのまま出せばエスプレッソ、お湯を加えるとアメリカーノ、フォームドミルクとスチームミルクを同量合わせればカプチーノ、スチームミルクだけならフラットホワイト、といった具合だ。紅茶の場合と同じく、ミルクはコーヒーの風味をすっかり変える。渋味が穏やかになるが、風味全体が淡泊にもなり、代わりに麦芽の香りやクリーミーな味わいが立ってくる。

機内には小型のエスプレッソマシンが備え付けられているがファーストクラス用であり、ほかのクラスの乗客にはフィルターで淹れられている。機内の気圧が低いので、水の沸点は92℃前後と、偶然にもコーヒーにとって完璧だ。しかしながら、機内でも会社のコーヒーマシンでも起こりうることだが、ポットに入れてから飲まれるまでの保温時間が長すぎれば、かぐわしい香りの大半が失われ、苦味と渋味ばかりが残る。

そこそこ熱い機内のコーヒーをおいしく味わえない理由はそれだけではない。研究によると、甘味、酸味、塩味、苦味、うま味という5種類の味覚の鋭さは、嗅覚だけではなく機体の騒音の影響も受ける。そのため、コーヒーを飲んでいて地上でなら味わえそうな繊細な風味が機内では味わえない。この研究結果は、おいしさが概して予想を下回る、という私の機内体験を裏付けている。

というわけで、コーヒーと紅茶はどちらがいいか？　どのような気分や暮らしの一場面に合うかは、もちろんそれぞれ違う。それでも、エコノミークラスの搭乗中もそうだが、どれほど紅茶の気分であってもおいしい一杯にありつける確率がほぼゼロなので断念したほうがいい場面が存在する……とは、実は自分のための覚書だ。この紅茶は本当にまずい。抽出温度は低すぎるし、使われたのはティーバッグだし、ポットに入って通路を運ばれてくるあいだに冷めていたし、出すのに使われたカップはプラスチックの味がする。客室の騒音が私の五感を鈍らせ、この紅茶にどれほどひどい風味が含まれていたとしても、それさえ感じられなくなっている。望んでいたのは思索に耽りたくなるような刺激だが、それがこの紅茶からもたらされることはありえない。今思えば、コーヒーを頼むべきだった。土台となる味が強く、客室の耳障りな騒音によく対抗できるし、抽出温度が高度1万2000メートルに適している。機内で用いられているフィルター方式なら、最高に深い風味とはいかないまでも、バランスの取れた一杯が入る。

ふと気がつくと、スーザンはコーヒーを飲み終えており、おかわりを頼もうとしている。客室乗務員がポットを持って通路を歩きながら、視線を上げた乗客に向かって目で問いかけている。そもそも窓側席の乗客にはトイレに自由に行けるタイミングなどないところへ、カフェインの利尿作用のせいか、急にもよおしてきた。スーザンがおかわりのコーヒーをトレイテーブルに置く前なら、通してもらって、紅茶の失敗を忘却の彼方へ追いやれるに違いない。通路に出たい旨を伝えると、スーザンが立ち上がってくれたので、すり抜けて暗い通路に出て、こわばった脚でぎこちなく歩く。目指すはLAVATORYと書かれた薄暗い緑色のサインだ。

第8章 洗浄…液体石けんはアイデアの宝庫だ

奇跡の物質

トイレを目指してぎこちない足取りで歩くうち、足もとの感覚が少々おぼつかなくなってくる。だが、傷めている膝が鳴ったり、たまによろけたりしている私に構わず、機体は成層圏を轟音とともに飛んでいる。まどろむ乗客からブランケットがずり落ちかけている。通路を進むうち、液晶画面に映し出されている内容から、乗り合わせたお仲間の視聴傾向がわかってくる。女性がステージで歌っている。かつらをかぶった判事が法廷で険しい顔をしている。スパイダーマンが跳んでいる。寝ている乗客もいる。ノートパソコンに向かっている乗客もいて、画面の光で顔が照らされている。通路の突き当たりにようやくたどり着いたが、トイレはすべて使用中だ。通路で待つ私の脇を客室乗務員がすり抜け、ビジネスクラス側へ入っていく。仕切りのカーテンのすき間からものほしげにのぞいてみると、背もたれを倒した乗客がローマ皇帝のごとくかしずかれている。と、カチッという音がしてロックの掛け金がスライドし、トイレから明るい光があふれてくる。男性が個室から無表情にいそいそと出てくる。その顔にうっすらとでも申し訳なさそうな表情が浮かんでいるか？　臭いことを覚悟しながら中に入ったが、これといってにおいはしない。ほのかに人工レモンの香りがするくらいだ。

便座を上げ、長い小用を足したあと、ボタンを押して真空吸引機構を作動させる。あの音にはいつもすこしばかりびくっとさせられる。吸引と轟音が長続きしすぎではないだろうか。まるで「おい、誰を見てんだよ？　この小さな穴にはお前だって吸い込めるんだぞ」とでも言っているかのようだ。手を洗おうと洗面台のほうを向くと、ポンプ式ディスペンサー付きのボトルが２本置かれている。石けんらしきほうに手を伸ばし、ポンプを何回か押すと、透明な黄色い液体が手の上に押し出されてくる。液体石けんはどうしても好きになれない。出てくる様子に拒否感を覚えるのだ。あれを見ると決まって、小柄なペットを持ち上げたとたん、びっくりした相手から手に小便をかけられたときのことを思いだす。

私が子供の頃、液体石けんはまだ発明されていなかった。あったのは固形だけだ。広く普及していたので、石けんが床やシンクに滑り落ちないよう、どの洗面台にも専用のくぼみが付いていたものである。今や固形は少数派で、人気もかつてないほど低い。これは進歩なのか？　液体のほうが固形よりもそれほどいいのか？　あるいは、液体石けんは現代の流行にすぎず、偽りの仮面をつけて売られているだけの話で、パンタロンやＣＤのようにいずれ消え去るのか？

判断材料がないと何とも言えないので、まずは普通の石けんの良さと欠点を把握しておこう。石けんは奇跡の物質だ。手をどれほどきれいで純粋な熱いお湯で洗おうと、皮膚にこびりついた脂ぎった汚れは何ひとつ取れない。私たちはつい最近まで、このことを不当なほど心配してこなかった。人は臭かった。人は汚かった。誰も気にしなかった。もっと深刻な問題を抱えており、石けんが重要かもしれないという意識は持ち合わせていなかった。石けんが存在していなかったわけではない。石けんの作り方は古代メソポタミアの粘土板に刻まれており、その年代は紀元前2200年だとわかっているし、材料ならもっと前から存在していた。刻まれていた処方は今日の石けんの作り方に似ている。炭火の灰を集め、水に溶かす。それを融かした獣脂（動物性の脂肪）と一緒に煮るとあら不思議、基本的な石けんの出来上がりだ。メソポタミアの民が石けんを入浴に使ったとは限らないが、織り上げる前の羊毛をきれいにするのには使っていた。ラノリンと呼ばれる油脂の一種を石けんが羊毛繊維から取り除いたのだ。

それにしても、油脂を取り除くのになぜ脂肪を使うのか？　その秘密を握っているのが灰の水で、アラビア語では「アルカリ」と言い、文字どおりには「灰から」の意だ。アルカリは酸と性質が正反対だが、どちらも反応性が高く、ほかの物質を変えられる。ここではアルカリが脂肪を変える。

獣脂などの脂肪は炭素を骨格とする分子でできており、化学構造としては、3本の延びた腕がそれぞれ一端で酸素原子と結合したグリセリドである（トリグリセリド）。水の構造はまったく

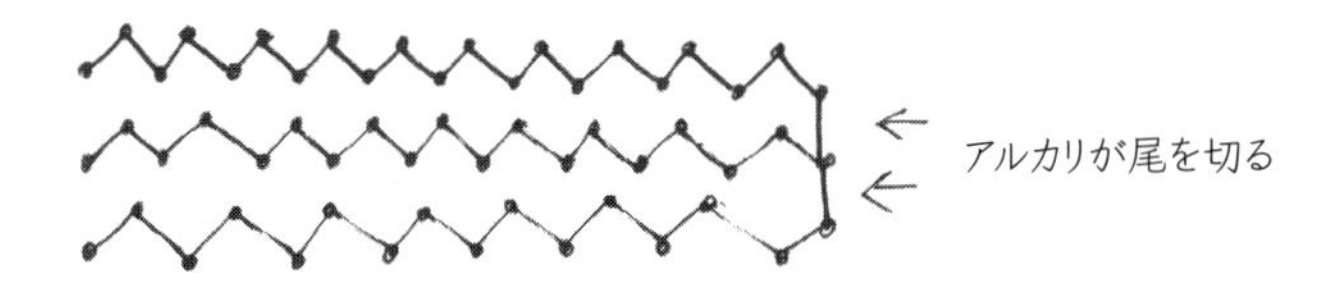

獣脂の主成分のひとつ、トリグリセリド分子。尾が３本あり、アルカリを使って切ることができる。

違って、はるかに小さい H_2O 分子だ。水分子はトリグリセリドよりも小さいほかに、分極している。具体的には、分子における電荷の分布が均一ではなく、正の部分と負の部分がある。水が優れた溶媒なのは極性のあるおかげだ。水は、帯電しているほかの原子や分子から電気的に引き寄せられ、その相手を取り囲む形で吸収する。水はこうして塩を溶かす。こうして砂糖を溶かす。こうしてアルコールを溶かす。だが、脂肪や油の分子は分極していないので、水に溶けない。だから水と油は混ざらない。

それに対し、木灰からつくられるアルカリは、正電荷の部分と負電荷の部分に分かれているので、水に溶ける。できた溶液は脂肪分子と化学反応を起こし、トリグリセリドの３本の腕を切って帯電させる。これにより、ステアリン酸塩と呼ばれる石けん分子が３個できる。ステアリン酸塩は、水に溶けたがる電荷を帯びた頭と、油脂に溶けたがる炭素の尾を持つ混成分子だ。このことは重要で、石けんがかくも便利なのはこのハイブリッドな性質ゆえである。

石けん分子は油滴に触れると、炭素を骨格とする尾が油滴と化学的に似ていることを活かして、油滴の中にすぐさま潜り込む。だが、帯電し

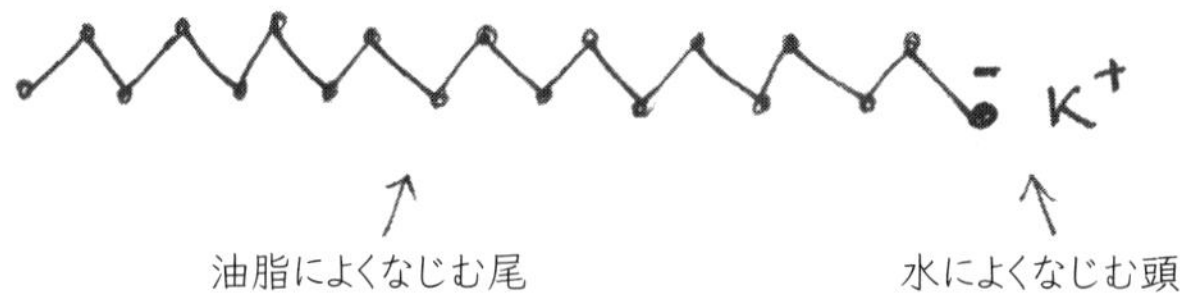

石けんの有効成分、ステアリン酸塩。図のように、帯電している頭は「水によくなじむ」し、炭素の尾は「油脂によくなじむ」。

ている頭は油からできるだけ遠ざかりたがるので、最終的に油滴から頭だけ突き出すような格好になる。同じことをする石けん分子が増えるにつれ、石けん分子が油滴を雲のように覆って電荷を帯びた頭を突き出す、というタンポポの種のような分子構造が形作られていく。

このように表面が電荷を帯びるので、油滴ないし脂肪滴は極性分子となってこれ幸いと水に溶けていく。石けんはこうして汚れを落とすのだ。手や服に残る油や脂肪を分解して微小な球形の塊をつくり、これが水に溶けて洗い流されるのである。

石けんで手を洗うと、石けんによって手から油が除去されて、清潔で乾いた感じがする。一方、石けんが滑るのはそれ自体の油脂としての性質ゆえだ。基本的に、加工された脂肪なのである。そのため、いとも簡単に手から滑り落ちる。石けんはこの性質を活かして潤滑剤としても用いられ、膨らんだ指から石けんのおかげで指輪がするりとはずれる。

汚れ落としに石けんを使うと、特殊な類いの液体ができる。そのとおり、汚れた水なのだが、汚れのほかに脂肪のボールも含まれている。実質的に、ある液体が別種の液体中に分散した状態になってお

石けんはステアリン酸塩などの界面活性分子の作用できれいにする。この分子の油脂によくなじむ尾が油に吸収され、水によくなじむ頭だけを突き出す。水によくなじむ頭の雲が油を取り囲むおかげで油が水に溶け込めるようになり、表面がきれいになる。

り、これを乳濁液（エマルション）という。乳濁液は何しろ便利だ。水の中にさまざまな種類の液体を分散させておけるからである。たとえば、マヨネーズは水の中に油がきわめて高濃度に分散した液体であり、油と水の比率はおおよそ３：１だ。つくるには、この２つをよく振ってクリーム状にする。そこでやめれば、２つは分離する。何と言っても、ご存じのとおり、水と油は混ざらない。だが、石けんに類する分子を加えると、油滴が安定する。マヨネーズの場合、結び付ける分子の供給源は卵だ。黄身に含まれているレシチンという物質が石けんとよく似た構造をしており（油脂によくなじむ尾と、水によくなじむ頭）、黄身を水と油の混合液に加えると、両者を結び付けてマヨネーズができる。また、黄身はまさに石けんと同様に手をきれいにするので、欠かせない洗浄成分として多くのシャンプーに含まれている。マスタードも油を乳化できる物質だ。そのため、油と酢にマスタードを加えると、普通は混ざらないこの２つから安定な乳濁液ができる。ヴィネグレットのことだ。こうした活性物質はどれも同じように働き、共通の呼び名を持っている。あいだを取り持つこうした分子は「界面（表面）活性剤」と呼ばれている。

ここで、石けんは油や脂肪だけではなく、油や脂肪に付いたばい菌も除去する。石けんでの手洗いは感染症やウイルスから身を守る方法として実に効果が高い。ところが、洗浄剤としての効き目にもかかわらず、そして文明史のあれほど初期に発見されていたにもかかわらず、石けんが清潔さや個人衛生を目的として日常的に使われるようになったのは最近のことだ。

臭くて汚かったヨーロッパ

有史以来、石けんの使用に対する姿勢は文化によって大きく異なっていた。ローマ人は石けんをたいして使わず、汗や汚れを物理的にこそぎ落としてから、まずはお湯に、続いて水に漬かってさっぱりすることを好んだ。公衆浴場はローマ文化の重要な地位を占め、温水と冷水の供給には高度な工学インフラが用いられた。ヨーロッパではローマ帝国の崩壊後、公衆浴場の運営を支えていたインフラが廃墟と化し、入浴は流行らなくなった。人口の多い都市や町では、きれいな水が手に入らない限り、入浴を健康リスクとする見方が優勢になっていった。中世ヨーロッパでは、病気はミアズマ（瘴気）や悪い空気を通じて広まるものと大勢が信じていた。体を洗うと、特にお湯を使うと孔があき、黒死病の名でも知られる腺ペストのような病気に弱くなると考えられた。また、隠遁者や聖人のような神聖な存在になるには快適さや贅沢を拒む必要がある、という道徳的な要素も、体を洗うことへの当時の見方に影響していた。それなら、臭いほど神に近いと思われていたのかもしれない。

清潔さに対するこうした姿勢は世界のほかの地域にはなかったので、東洋からの訪問者は、ヨーロッパ人は高貴な者でも驚くほど臭くて汚いと思ったことだろう。今の私たちもまったく同じ感想を抱くに違いない。だが、かつての文化規範も後世にはえてしてひどいことに思えるものだ。喫煙はつい最近までまったく普通のことで、たばこのにおいはオフィス、レストラン、バー、列車など、ほぼどこでもしていた。機内での喫煙が許されていた頃の様子は今でも覚えている。あんなひどい環境に身を置いていたとは、今振り返れば恐ろしい話で、戸惑いさえ覚える。それを思えば、ヨーロッパ人に汚くて臭かった時代があっても、そう驚くことではないのかもしれない。

喫煙もそうだが、世の中が不潔だったことによる悪影響は審美的な問題だけではなかった。19世紀には、医師が出産中の女性を診たあと着替えや手洗いをせずにほかの病床へ移動するのがまだ普通の慣行だった。そのせいで、出産中の妊産婦や新生児の死亡率はかなり高かった。１８４７年、ハンガリーの産科医イグナーツ・ゼンメルワイスが、患者に触れる前にさらし粉の溶液で手をよく洗うよう医師たちに指示したところ、20パーセントだった死亡率が1パーセントにまで減った。こんな証拠がありながら、医師はその後も、感染源をみずからの手で運んで患者にうつして大勢の死者を出していた可能性を受け入れたがらなかった。１８５０年代になって、イギリスの看護師フローレンス・ナイチンゲールによる衛生の向上を目指した運動のおかげで、ようやくこの慣行が採用され、まず軍の病院に、続いてほかの病院にも広まった。その際きわめて重要だったのが、彼女が病因や死因に関する主張の根拠として統計データを集め、新しい数学グラフを考案して医師や大衆に示したことだ。科学的な証拠が徐々に蓄積して、細菌論は医師や看護師に広く受け入れられていき、衛生目的の石けんによる手洗いは病院での慣行となった。だが、石けんがどこでも同じように活用されたわけではなく、石けんに市民の清潔と健康を保つという新たな役割ができたのは、工業化とマーケティングが相まって現代西洋の大量消費文化が形作られた時期だった。石けんは単なる日用品からヒットを狙う商品へとすみやかな変わり身を果たした。

高度1万2000メートルを飛ぶ機内の狭いトイレで、私も石けんを使った変わり身を願う。疲れ切った旅行者から、気分が一新され清潔になって目を輝かせた旅行者へ。小さな洗面台で手を洗い、鏡で自分の姿を見る。眼は赤く、眼の周りの皮膚が乾燥してしわが寄っている。顔色が黄色っぽく、具合が悪そうに見えるが、電灯が青みがかった蛍光灯なのでは？　やっぱりそうだ。このせいかもしれないな、などと思いつつもうしばらく見回しているうち、恐ろしいことに気づく。シャツの襟にカレーの黄色いしみが付いているではないか。スーザンは何も言っていなかったが、当たり前だ。とっさに唾液で落としにかかる。あごの下辺りなので、作戦の遂行には鏡を頼りにせざるをえない。それはともかく、私の唾液に含まれている酵素が黄色い（おそらくウコン由来の）しみにまったく進攻していかない。それどころか、襟を湿らせるたびにしみが広がっていく。トイレのドアを何度か揺すられながら、唾液での応戦を5分ほど試みたが、戦況は悪化するばかりだ。

洗濯用の粉石けんは、石けんをもとにつくられた最初の工業製品に数えられている。衣類の洗濯は誰もがしなければならないところへ、19世紀には衛生と清潔さがますます重視されるようになり、それが社会的な地位や階級の認識を左右するようになった。さらには、祝い事や礼拝に限らず宗教行事に汚い服を着ていくと、貧乏で社会的地位が低いと思われたばかりか、倫理にもとるとも見なされた。臭くて汚いことはもはや徳の高い証ではなく、ばい菌や病気が不潔な習慣と結び付けられていた。1885年に牧師のヘンリー・ウォード・ビーチャーが「清潔さは神聖さに次ぐ」と言い切っているが、この発言は〝道徳と精神性は表に現れるものであり、石けんがその高みへの欠かせない手助けだ〟という広く受け入れられていた信念を声に出したまでだった。

新タイプの界面活性剤

この頃、鉄道と新聞がともに普及して国としてのまとまりが生まれ、1つのメッセージを国中に広められるようになった。石けんのブランドが全国的な知名度を得られる環境が整ったのだ。アメリカではプロクター&ギャンブル（P&G）が石けん業界の最大手となった。1837年にシンシナティで2人のイギリス移民ウィリアム・プロクターとジェイムズ・ギャンブルによって創業されたP&Gは、ロウソクと石けんの販売を手がけていた。どちらについても、使っていた材料は地元の食肉業界から調達した獣脂だった。だが19世紀が進むにつれて、ロウソク業界がまず鯨油人気で、続いてケロシンの登場で衰退したのに対し、石けんの市場は成長した。P＆Gは石けん「アイボリー」を開発し、大金を投じて販促活動を繰り広げて全国的な新聞や雑誌に広告を載せた。その後、１９２０年代にラジオが発明されると、P＆Gは連続ドラマの提供を始めた。聞いていたのは大半が女性で、日中に1人で家にいて掃除や洗濯をしていた。ドラマはたいへんな人気となり、提供企業の製品からやがて「ソープオペラ」と呼ばれるようになった。

洗濯機の発明は、洗濯というきつい社会的儀式から人々――主に女性――を解放した。汚い洗濯物をきれいにするまったく新たな物質が登場したのがこの頃だ。５０００年近くも洗濯のお供の一番手だった石けんが、突如として化学的にアップグレードされた。それが洗剤である。洗剤は洗浄剤のカクテルで、石けんのような界面活性剤のほかに、効果を高めたり環境へのダメージを抑えたりする成分もいろいろ含んでいる。石けん分子の、水によくなじむ帯電した頭は、水に溶け込んでいるカルシウムに引き寄せられるので、石けんを硬水に入れるとカルシウムが石けんと結合してかすをつくる。紅茶のスカム〔薄い膜〕とまさに同じだ。ただし、石けんかすは見た目が少し違う。石けんを使って手を洗うと手に付く白みがかった物質がそれである。このかすは不便なだけではない。石けんを浪費するので、洗濯に回る分が減る。そのうえ、見栄えの悪い灰色のかすが服に残る。

石けんかすにはどう対処すべきか？　カルシウムに引き寄せられにくい石けんをつくらなければならない。化学者は石けんに似た新たな分子をいくつも発見しており、どれも水によくなじむ頭と油脂によくなじむ尾を持っている。これらを使うと、電荷を周到に調整してカルシウムに引き寄せられにくくできる。新タイプの界面活性剤である。

洗剤の需要が高まるにつれ、メーカーどうしの競争が激しくなった。企業はさらに優れた洗剤をつくろうと、優秀な化学者を競って雇った。化学者は穏やかな漂白剤を含む洗剤を開発した。漂白剤のおかげで、茶色いしみの原因分子が反応によって化学的に分解され、白さの持ちが良くなった。ほかにも、化学者は蛍光分子を混ぜた。それが蛍光増白剤で、白い服の繊維に付着して洗濯後もそこに留まる。蛍光増白剤は眼に見えない紫外線を吸収して青い光を発し、多くの洗剤メーカーの宣伝どおり、繊維を「白よりも白く」見せる。蛍光増白剤の働きは、ナイトクラブへ行くとその目で確かめられる。ダンスフロアを照らす紫外光が、白い服の蛍光分子を励起して光らせるのだ。

界面活性剤はその種類を増やしていった。陰イオン（アニオン）界面活性剤（石けんと同じで、水によくなじむ頭が負に帯電）は、かすができないようにしつつ汚れを落とすため、さらには洗濯中に汚れが衣類に再び付着するのを防ぐためにつくられた。陽イオン（カチオン）界面活性剤（水によくなじむ頭が正に帯電）は、柔軟剤として開発された。非イオン（ノニオン）界面活性剤（水によくなじむ頭が中性）は、低温でも汚れを除去するうえ、たいていの界面活性剤よりも泡立ちにくい。泡立ちを抑えることは重要だ。泡は汚れ落としに貢献しないし、泡だらけになると取り除くのが大変で、洗濯機にとって都合が悪い。実際、洗剤には泡の発生を抑える消泡剤が入っていることが多い。

洗濯の環境への影響を減らす努力の一環として、たいていの洗剤には生体酵素が配合されている。酵素のパワーで、しみに含まれるタンパク質やデンプンを化学的に切り取れるのだ。水温が低めでもしみを除去できるので、お湯を使わない洗濯機の効果がはるかに高まり、省エネになるし、財布にも優しい。「生体」酵素と呼ぶのは、生き物に見られる天然酵素由来だからで、元になっている酵素も、体に付いた望ましからぬものを分解して一掃するという似たような仕事をしている。イギリスには洗濯洗剤にバイオとノンバイオの2種類がある。バイオ洗剤は酵素入りで、汚れ落ちは明らかにこちらのほうが上だが、ノンバイオ洗剤はいまだに売られている。バイオ洗剤を使うと皮膚炎になる、という実証されていない通説が頑なに信じられているからだ。

このように、私たちは衣服がきれいかどうかにたいへん気を使っているが、髪がきれいで、つやつやして、すがすがしい香りのすることを望んでもいる。ここはシャンプーの出番だ。「シャンプー」はインドから英語に入ってきた言葉で、現地ではオイルやローションを使うある種のヘッドマッサージを指す言葉だった。この施術が植民地時代にイギリスに輸入され、やがてある種の洗髪を意味するようになった。初めての現代的なシャンプーは1930年代にP&Gによって製造されている。ブランド名は「ドレーン」。新しい穏やかな液体界面活性剤が採用されており、緑と紫の鮮やかなラベルの貼られたガラス瓶に詰められていた。この時期、P&Gのライバルの筆頭、ユニリーバが参入してきた。以来、この世界企業2社のライバル関係が洗剤のイノ

一般消費者向けシャンプーの初期の広告。

ベーションをリードしてきた。

シャンプーの成分表示に注目！

近頃、シャンプーのボトルで成分表示を見ると、「ラウリル硫酸ナトリウム」、あるいはよく似た「ラウレス硫酸ナトリウム」の文字を目にする可能性が高い。今どきのシャンプーの大半で基本成分に名を連ねており、どちらも効果の高い界面活性剤だ。水に含まれるカルシウムとの相互作用が強くないので、かすができない。そのうえ、シャンプーには欠かせない、と私たちが考えるに至ったまた別の働きをする。泡立つのだ。それも非常によく。

シャンプーを使っていて泡が立つのは頭をごしごしやっているときで、この動作によって空気が水に捕らえられる。空気は水から逃げ出そうとし、水面に達すると泡をつくる。界面活性剤なし

ラウリル硫酸ナトリウム（SLS）。水によくなじむ頭と油脂によくなじむ尾にご注目。

で髪をごしごしやった場合、できる泡は単なる水の薄い膜だ。この膜は空気とのあいだの表面エネルギーが高いので、すぐにパッとはじける。ところが、そこにラウリル硫酸ナトリウムのような界面活性剤が混ざると、状況がすっかり変わる。界面活性剤の分子は、泡を取り巻く水の薄膜内部で簡単に集まり、膜が比較的安定になるくらいまで水の表面エネルギーを下げる。シャンプーを髪に擦り込んでいくと、この壊れにくい泡がつくられ続けて、泡の塊ができる。それと同時に、界面活性剤が油や脂肪をすっかり集めるので、私たちは洗浄と泡立ちとを結び付け、シャンプーの効果を泡立ちで判断する。今どきの広告では泡立ちが強調されているが、泡はシャンプーの洗浄力向上に貢献していない。その役割は純粋に見てくれである。

　ラウリル硫酸ナトリウムや同類の界面活性剤は非常によく効くうえにとても安く、その活路をほぼあらゆる洗浄製品に見いだしており、シャンプーに留まらず、台所洗剤や洗濯洗剤、さらには歯みがき粉にも含まれている。だから歯を磨くと口の中が泡だらけになるのだが、泡の役目はやはり純粋に見てくれで、「ほら、ちゃんと口の汚れを落としてるから！」とアピールしているのだ。ラウリル硫酸ナトリウムはこの成功を足がかりに、やがてシャワー室で髪以外の部分を洗う主な手段として石けんに取って代わった。いわゆる「ボディウォッシュ」の登場である。ボディウォッシュはシャンプーと同じく、小振りのボトルやチューブのような容器に詰められて流通している。また、ラウリル硫酸ナトリウムの類いの界面活性剤は透明なので、透明なボトルに入るときれいに見える。シャンプーのように色と香りをつければなおのこと。

とはいえ、ボディウォッシュの魅力は見た目がきれいなことだけではない。シャワー室や浴室において、石けんには濡れた途端とても滑りやすくなるという欠点がある。硬水の地域で泡風呂に入っているときなど、使っている石けんが水に含まれるカルシウムと反応して、かすだらけのお湯に漬かるはめに陥るし、手を滑らせて濁ったお湯のなかに落とそうものなら、石けん自体を見失いかねない。また、シャワーを浴びていて手から滑り落ちた石けんは、床の上を跳弾のように動き回り、うっかり踏んでしまうと滑ってバランスを崩し、転んで頭を打ったりしかねない。だが、シャワージェルならその心配はない。

シャワージェルにはボトル入りだからこその利点もある。石けんもどこかに置いておかねばならないが、たいていそのあたりにむき出しで置かれるうえ、流れ落ちてくる泡やどろっとしたかすのせいで見栄えが悪く、テレビ映りは確実に良くない。それに引き換え、液体石けんなら何度使ってもテレビ映りのいい外観が保たれる。また、石けんは乾いたからといって当初の頼れる塊という外観には決して戻らず、一度使っただけで妙に変形する。

液体石けんと絶滅危惧種

1980年代、ミネトンカという企業が、液体石けんを浴室からトイレや台所へ持ち出す方法を考え始めた。このとき、何か新感覚の製品にしなければならないことはわかっていた。シャンプーやボディウォッシュのようではいけないし、それにもまして台所洗剤のようではいけない――現実問題としてはきわめて似た物質になるのだが。つまり、まったく新しい魅力的な製品として売り出す必要があったのだ。そんななか思いついたのがポンプ式のディスペンサーで、振り返ってみればこれが天才的なひらめきだった。トイレで他人の使った濡れた石けんを手に取ることに抵抗があったとしても、これがあれば洗剤がその手のひらに直接出てきて、新品同様の使い勝手になる。ところが、すぐには広まらなかった。誰もが感心したわけではなかったのだ。一部の者には、問題とさえ言えないことへの不必要に複雑な解決策と映ったし、私のような者には、前にもご紹介したが、小振りのペットからこの手に小便をひっかけられたときの感覚を連想させて、気に入られなかった。

1980年代、液体石けんに対する大衆の態度はどっち付かずだったが、1990年代になると、そのバランスを断固として好意的なほうへ傾けるものが現れた。黄色ブドウ球菌である。概して術後の傷に感染するこの菌は、かねてから抗生物質への耐性を持つ株を生みだしており、対処をきわめて難しくしていた。耐性株が初めて見つかったのは1960年代だったが、1990

年代には、抗生物質メシチリンによる治療に耐性を持つ黄色ブドウ球菌が病院で大流行していた。イギリスでは、全院内感染の原因の半数をメシチリン耐性黄色ブドウ球菌（ＭＲＳＡ）が占めたほどだ。この数字はほかのヨーロッパ諸国やアメリカでも同様に高く、院内死亡率の急上昇につながった。２００６年のイギリスではＭＲＳＡのせいで２０００人が亡くなっており、病院はこの菌の拡散に頭を悩ませた。幸い、手洗いの励行を厳格化し、特に看護師や医師に患者との接触後に手洗いを必須とすることで、ここ10年の死亡率は低下している。

一方、病院の外では公衆衛生のキャンペーンが始まり、清潔な手の御利益が大いに説かれたのだが、現実問題としては抗菌石けんの販促活動頼みだった。抗菌石けんにはラウリル硫酸ナトリウムやその同類分子のほかに、トリクロサンのような抗菌分子が含まれている。抗菌石けんは菌の拡散を防ぐうえで従来の石けんよりも優れているとうたわれた。この売り方は成功した。抗菌石けんの需要は甚大だったのだ。だが、従来の石けんと水よりも効果が高いという証拠はない。さらに言えば、米国食品医薬品局で医薬品評価研究センター長を務める医師で医学博士のジャネット・ウッドコックによると、一部の抗菌石けんには健康への効果が実際にはまったくない可能性がある。

「消費者の皆様は、抗菌洗浄剤のほうが細菌の拡散を防ぐうえで効果が高いとお考えかもしれませんが、普通の石けんと水よりも優れているという科学的な証拠はありません。それどころか、抗菌成分が長期的に見て有益どころか害になりかねないことを示唆するデータもあります」

2016年、アメリカでは抗菌石けんの販売が禁止された。だがそれ以来、液体石けんがそこらじゅうに入り込んできた。今やイギリスとアメリカでは、買われている大半が抗菌剤抜きの液体石けんだ。病院には抗菌石けんがこれまでどおり置いてあるし、住居にもあるし、そしてもちろんこの機体のトイレにもあって、私は今少しばかり手に取っている。

「ポーン」という機内放送を知らせる音が鳴る。

「こちらは機長です。これから気流の不安定な場所に差しかかりますので、シートベルト着用のサインを点灯させました。どなたさまもお席にお戻りください」

トイレにいて話しかけられるというのも変な感じがする。さっきまでプライバシーは完璧という気分だったのに、機長がドアを開けて顔をのぞかせたというイメージが浮かんで、そんな気分を吹き飛ばす。この脳の被害妄想的な部分に至っては、あのアナウンスは私をトイレから追い出すための策略かもしれないとさえ考えている。何しろ私はここに長いことこもって、液体石けんのボトル背面の成分表示を読んでいる。

手に取った液体石けんには、案の定、ラウレス硫酸ナトリウムが含まれている。アブラヤシの種子の油（パーム核油）かココナッツの油からつくられたものに違いない。熱帯地方に生い茂るどちらの木も、世界経済にとってきわめて重要になった。育てやすいし、油の収量が多く、栽培に適した気候の国々にとって収益性の高い安定作物だからだ。パーム油は毎年5000万トン生産されており、ケーキから化粧品まであらゆる品々に使われている。今度スーパーに行ったら、

ラウリン酸の構造。パーム核油から採られることが多い。

ビスケット、ケーキ、チョコレート、シリアルなど、いろいろな食品の材料表示を見てみるといい。どれにもパーム油が含まれているはずだ。

パーム核油は液体石けんづくりにとりわけ重宝されている。ラウリン酸を大量に含んでいる、という珍しい化学組成をしているからだ。ラウリン酸は12個の炭素が鎖のようにつながった分子で、一端にカルボン酸基が付いている。これについては、化学的にかなり似ているが、電荷を帯びた頭がない。これにたやすく細工できる。重要なのは大きさで、ラウリン酸を界面活性剤に用いると、長さの標準が炭素原子18個という普通の石けんに比べて、鎖のぐっと短い分子ができる。

ラウリン酸はそもそも小さいので、小さめの界面活性剤ができる。小さめなので、発泡剤として軽くて効果が高い。実は、材料としてできすぎに近い。私たちが液体石けんを喜んで使うので、その生産高が、ひいてはパーム油やココナッツ油の需要が急増してきた。そのせいで、マレーシアやインドネシアなどの生産国で熱帯雨林が広い面積にわたって伐採され、生物多様性のきわめて豊かだった森がアブラヤシの単作林に姿を変えている。その悪影響にもいろいろあるが、なかでも野生動物の棲み処の破壊が深刻で、追われた動物の多くがすでに絶滅危惧種となっている。ほかにも、何世紀にもわたって社会の辺縁に追いやられていた先住民が、強制退去の憂き目に遭っている。液体石けんをはじめとする各種用途へのパーム油の需要はかくも大きく、こうした事態は続いている。

そのうえ、ラウレス硫酸ナトリウムを用いてつくられた洗浄剤は、あれほどまでしてつくっているというのに、人によっては効きすぎになる。油脂をあまりにうまく除去するので、肌に湿疹や皮膚炎などの炎症を引き起こすのだ。それを防ぐべく、液体石けんメーカーは改質剤や保湿剤を石けんに加えて、ラウレス硫酸ナトリウムによって肌から除かれた天然油の代わりをさせる。ならば、使われる液体石けんの大半が手に触れることさえなくシンクに落ちていくという事実は、喜んでいいくらいなのかもしれない。とはいえ、液体石けんメーカーはこの問題に対処すべく石けんの粘性を強めたり、石けんを液体のままではなくもっと便利な泡（フォーム）にしてから出すディスペンサーをつくったりした。このフォームディスペンサーが結構いい。大量の空気とともに、必要とするわずかな界面活性剤しか出さないからというほかに、メーカーがとうとう泡の有効な用途をつくりだしたからだ。フォームディスペンサーでは、シャンプー、ボディウォッシュ、歯みがき粉の場合とは違って、泡は見てくれのためだけの存在ではない。界面活性剤を手に着ける媒体となっている。

あれやこれやで、種々取り揃えた液体石けんは1000億ドル市場になった。私たちは洗剤を頼りに体を清潔に保って芳香を漂わせ、衣服を清潔に保って芳香を漂わせ、髪を清潔に保って芳香を漂わせ、皿を洗う。そして、人口の多い世界では最重要事項かもしれないが、健康を維持しつつ病気の蔓延を食い止める最強の手段のひとつとして、私たちは洗剤に頼っている。なのに、買うときには製品のマーケティングに乗って金を出しているに近い。洗浄製品に欠かせない成分、きれいにする仕事をしている物質は、安い。だからこそ、そうした製品の製造過程やその熱帯雨林への影響について想像力を働かせる必要がある。

私の好みは固形の石けんだ。手に収まる大きさだし、それで洗うと物に触れる実感があるし、といったことが私には安心材料となる。確かに固形は売るのが難しいが、それがまた固形を好む理由のひとつにもなっている。固形を買うのは必要だからであり、それを使えば他人に差をつけ、もっと成功し、もっと魅力的ないしセクシーになれる、と思っているからではない。

機体の揺れが激しさを増して、気になってくる。鋭いノックの音がして、客室乗務員が大丈夫ですかと聞いてくる。一瞬、自分はトイレに長時間引きこもって液体石けんの台頭について大声をあげていたのかもしれない、という思いが頭をよぎったが、相手は乱気流を心配しているのだと気づく。そろそろ席に戻らねば。だが、ドアを開ける前に足が止まり、洗面台に並ぶもう1本のほうへ手が伸びる。こちらには別の液体、保湿剤が入っている。なぜここにあるのだ？　手を洗うたびに保湿する必要が実際にあるのか？　これも本当に必要かどうかによらずモノの消費をなおいっそう求める圧力の一環であり、手をきれいにしすぎる石けんをつくっておいて、その解毒剤として保湿クリームを提供しているのか？　あるいは、私の単なる被害妄想か？　とにかく少しばかり手に出してみる。ボトルのデザインはいい感じで、爽やかなレモンの香りにはどうにも抗い難いところがある。

第9章 冷却……冷蔵庫から人工血液まで

アインシュタインも挑んだ冷蔵庫革命

トイレから戻る途中、大きな長円形をした機体のドアの脇を通りがかる。ドアには小窓と、妙にそそられる大きな赤いハンドルが付いている。あれを見ると決まって、機体のドアを開けたいというおかしな欲求が湧いてくる。理由はわからない。本当に開けたなら、客室内の空気が吸い出され、私やシートベルトをしていない誰もが一緒に放り出されるだろう。シートベルトをしていた乗客は座席に留まるが、機内の気温が−50℃前後にまで下がるうえ、気圧が下がって息をするのがきわめて難しくなる。この段階で、離陸前の安全に関する説明にあったとおり、酸素マスクが頭上の格納場所から落ちてくることになっている。

こうも高いところを飛ぶのは、大気圧が低いからにほかならない。空気の密度が低いほど、通過中の抵抗が少なく、機体の燃費が向上して、より遠くまで飛んでいける。だが、航空機エンジニアに一度に2つの問題が突き付けられる。乗客を窒息させないこと、そして低体温症から守ることだ。その対策として使われているのが空気調和（エアコンディショニング）装置、いわゆる空調（エアコン）で、その開発史には何とも危険な液体がいくつか関わっている。

席の脇まで戻り、詫びるような笑みをスーザンに向ける。この笑みひとつで、読書を中断させること、シートベルトをはずす手間をわずらわせること、そして立ち上がらせるせいで彼女のひざに載っているパンくずを意図せず落とさせてしまうことへの謝意を伝えたいわけだが、もちろんどれも私の落ち度とは言えない。座席の配置のせいであり、トイレに行くのはまったくもって自然なことだ。いささか長かったことは認めるが。

スーザンが〝トイレに行くのは全然かまいませんよ、お気になさらず〟と言っているかのような笑みを浮かべながら立ち上がる。通路に出た彼女と入れ替わり、私は奥の座席へ入り込む。機体がガタガタと揺れるので、2人ともシートベルトを締める。乱気流の原因は、航路の空気の密度が変わっていくことだ。下界の天候パターンの影響で、機体は今、低密度の空気と高密度の空気が入り乱れている中を飛んでいる。高密度の空域に入ると減速する。機体にかかる抗力が増すからだ。一方、低密度の空域に入るとすっと落ちる。翼を支える揚力が弱まるからである。

こうして外では気圧がくるくる変わっているのに、私はいたって普通に呼吸を続けている。客室内の気圧が、普段よりも低いとはいえ、変動していないからである。その立役者が空気調和工学と呼ばれるきわめて専門的な分野だ。あのアインシュタインもかつて関心を抱いたことがあり、いくつかの新しいアイデアには特許が与えられているが、当時の目的は地上に暮らす人の命を救うことであり、長時間のフライトで人が楽に呼吸できるようにすることではなかった。

アインシュタインが解決を目指したのはこんな問題である。1920年代、発明されたばかりの冷蔵庫が普及しだし、それまで何百年と物を冷やす手段だった氷箱が家庭から姿を消しつつあった。ただ、初期の冷蔵庫は安全とは言えなかった。アインシュタインは、〝ベルリンで子供を含む一家全員が冷蔵庫のポンプの漏れが原因で中毒死〟という新聞記事を読んで衝撃を受けた。当時、冷蔵庫では液体冷媒として塩化メチル、二酸化硫黄、アンモニアのどれかが使われていたのだが、この3つはどれも毒性だった。にもかかわらずメーカーから選ばれていたのは、沸点が低いからだった。

冷蔵庫は、内部に備えたひとつなぎのパイプに液体を循環させることで機能している。パイプ内の温度が液体の沸点よりも高いと、液体は沸騰する。沸騰には、液体に含まれる分子どうしの結合を切るためのエネルギーである潜熱の供給源が必要なのだが、その潜熱が庫内の空気から取り出されるので、庫内が冷える。これこそ沸点の低い液体が求められている理由だ。5℃前後という庫内の温度で沸騰することが必要なのである。だが、選ばれた冷媒を冷蔵庫で本当に役立てるためには、気体の状態の冷媒をポンプで圧縮して液体に戻すことが欠かせない。

気体を圧縮して液体に戻すには、気体から潜熱をすっかり取り去らなければならない。実際問題としては絞り出すに等しい。この処理の場が冷蔵庫の背面で、圧縮器(コンプレッサー)が作動していると音でわかる。冷蔵庫が断続的に発する低いブーンという音がそれである。これが、冷蔵庫の背面が熱くなる理由であり、冷蔵庫のドアを開けておいても部屋が冷えない理由でもある。ドアを開け放って冷える分など、ポンプによって背面でつくられる熱で軽く相殺されるのだ。熱力学第1法則の言うとおりで、何かからエネルギーを奪って冷たくしたなら、奪ったエネルギーをどこかへやらなければならない。消えてなくなりはしないのである。冷蔵庫の場合、奪ったエネルギーは背面から出てくる。

液体を入れてつないだパイプにポンプを取り付け、液体を気体にできるように弁（バルブ）を追加しておく、というのも簡単なことに思えるかもしれないが、由々しき工学的難題が持ち上がる。気体は圧力下にあるので、その分子は絶えず動いてパイプの内壁にぶつかる。そのため、パイプがポンプとどこで接続されようとそこが弱点となり、適切な素材を用いないと、絶えず騒ぎ立てている分子が膨張して逃げ出そうとし、やがて材料の破損に至る。初期型の冷蔵庫で起こったのがまさにこれだった。真夜中にアンモニアが漏れ出て、一家全員がベッドの上で命を落としたのである。

アインシュタインは何か手を打とうと思い立ったが、特許局に勤めていた経験から、機構や電気装置は技術的に複雑だと承知していた。そこで、レオ・シラードという物理学者と一緒に、家庭でもっと安全に使える、新手の冷蔵庫の開発に取り組んだ。2人が目指したのは、外部ポンプを完全に排除し、ポンプの使用に伴って必要となる接続部をすべてなくして、可動部品のないシステムをつくることだった。実現すれば、故障の確率は格段に下がる。

１９２６年から１９３３年にかけて、シラードとアインシュタインは共同で、液体を操作して気体に変えてまた液体に戻す、という方針で冷蔵庫を機能させる技法をいろいろと考えだした。先ほど触れたとおり、液体が蒸発して気体になると、周りが冷える。だが、それを液体に戻すという逆向きの処理は決まってポンプでなされていた。ポンプは、気体の分子を力ずくで互いに近づけることで圧縮して再び液体にする。ここを別なやり方にする必要があった。シラードとアインシュタインにはさまざまなアイデアがあった。２人は動作する試作品をつくり、特許を何件か出願した。ある設計では、熱を利用して液体ブタンをパイプで循環させる。パイプの中で液体ブタンをアンモニアと混ぜると気体ができ、これが冷却効果を生む。できた気体は水に通す。すると、水がアンモニアを吸収して、ブタンがパイプの中を再び循環できる。こうして冷蔵プロセスが続くというわけである。別の設計では、つないだパイプに液体金属（当初は水銀）を巡らせ、そのパイプを電磁力で振動させる。振動する液体金属の発振がピストンの役目を果たして冷媒を圧縮して気体を液体にする。要はどれも、可動部品を一切使わず、液体が液体に作用を及ぼすという形で冷蔵効果を生みだす。２人のほかの設計もそうだが、作動流体、すなわち実際に働く液体や蒸気はパイプに完全に密封されるので、当時の製品よりも安全なはずだった。

２人の試作機には商業的な関心が寄せられた。スウェーデンのエレクトロラックス社が買い上げた特許があったし、ドイツのツィトゲル社が形にしたアイデアもあったのだが、シラードとアインシュタインの協力関係は時間切れになった。その頃にはドイツでナチ党が国民の支持を集めており、シラードやアインシュタインのようなユダヤ人がドイツ国内で生活し働くことがどんどん難しくなっていた。

安全な冷却を実現？

シラードはイギリスへ渡り、歴史の流れを変えることになる発明を当地で思いついた——ものを冷やすことではなく熱することによって。原子爆弾の背後にある原理、核連鎖反応である。一方、アインシュタインはヨーロッパをあちこち渡っていたが、ドイツでは敵意を強めるナチ党がさらに勢力を伸ばしていた。2人とも最終的にアメリカへ逃れたので、その気になれば協力関係を続けられたのだが、その頃には時すでに遅しだった。アメリカでも科学者が冷却の安全化に取り組んでいたのだ。ただし、問題へのアプローチは正反対で、ポンプの排除ではなく、作動流体の安全性向上を目指していた。1930年、化学者のトマス・ミジリーが「フレオン」と呼ばれる液体を開発していたのだが（フレオンはデュポンの商標名で、日本ではフロンと総称）、これが安全で安価だと歓迎されており、アインシュタインとシラードは冷蔵庫開発からの撤退を余儀なくさせられたのだった。残念ながら、フレオンはまったく安全ではなかったのだが、ミジリーは危険な液体をつくることで有名だったにもかかわらず、安全ではないと明らかになるのはそれから50年もあとのことである。

1920年代、ゼネラルモーターズに勤務していたミジリーは、四エチル鉛と呼ばれる液体を見いだした。四エチル鉛をガソリンに添加すると、燃焼が完全に近づき、ガソリンエンジンの性能が向上した。働きはよかったのだが、毒性の強い鉛が含まれている。ミジリーは研究の過程で中毒になり、1923年1月にこう記している。「有機鉛に取り組んで1年ほどになるが、肺がやられた。仕事をすべて投げ出して、新鮮な空気をめいっぱい吸い込まなければ」。明らかに危険だったのに、彼は研究を続けた。ものになるまで何年もかかり、その間、生産現場の作業員が何人も鉛中毒になったり、幻覚を見たり、亡くなったりしていたのだが、とうとう1924年には記者会見を開き、四エチル鉛の安全性のデモを行った。液を手に取り、その蒸気を吸い込んだのだ。彼は再び鉛中毒になったが、それでも四エチル鉛を商業生産にのせることをやめなかった。

四エチル鉛はのちに世界中でガソリンの添加剤として用いられたが、1970年代になると市場から消え始めた。毒性を示す証拠が蓄積されたからである（イギリスでようやく全廃されたのは2000年1月1日）。使われなくなったことで、たとえば、子供の血中鉛濃度が劇的に下がった。社会的な影響も広範で、有鉛燃料の使用率と暴力犯罪とに統計的に有意な相関も見られている。神経変性物質としての鉛はかくも強力だったのだ。有鉛ガソリンが禁止されたことで都市部住民のIQが大幅に上がったのではないかとまで予想する科学者も絶えない。

だが、こうした話の前から、ミジリーは安全な冷却という問題に取り組みだしており、1920年代の後半には解決策を見つけていた。彼のチームは、沸点の低いブタンのような小さな炭化水素に注目していた。だが、引火性がきわめて高く、爆発の恐れがあるという難点がある。ライ

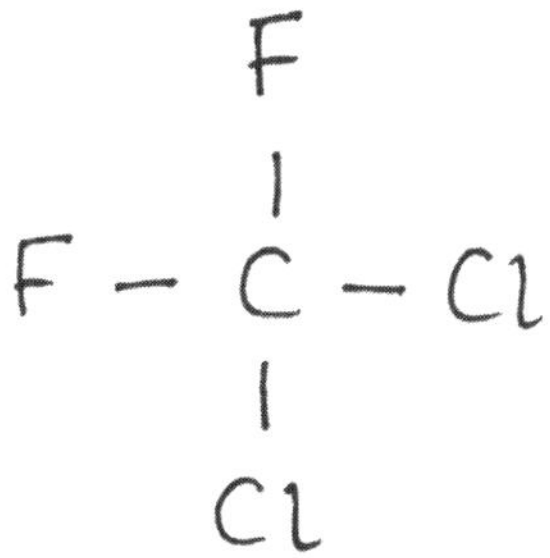

F
|
F − C − Cl
|
Cl

「フレオン（フロン）」ことCFCの分子構造。

ターやキャンプ用のコンロで燃料として使われているだけのことはあるのだ。

チームは炭化水素分子の水素原子をフッ素と塩素に置き換え、クロロフルオロカーボン（ＣＦＣ）類と呼ばれる新しい分子をつくりだした。ＣＦＣをつくることは、出発点にした小さな炭化水素分子よりもさらに危険な物質をつくることになっている可能性があった。ＣＦＣ分子が分解すれば、毒性と腐食性のきわめて強いフッ化水素ができるのだ。だが、ミジリーのチームはフッ化水素ができるような分解はまず起こらないと考えた。フッ素と炭素の結合がきわめて強く、この液体は不活性のはず、というのがその根拠だった。そのとおりだった。ＣＦＣは確かに化学的に不活性である。そのため、冷却問題にうってつけの化学的解決策に思えた。何しろ、背面から漏れ出ても誰も死なせない。この点に関してミジリーは正しかったが、それ以外の安全性については間違っていた。

世に出て以降、ＣＦＣは冷蔵庫の背面から漏れ続けていたが、その主な影響は冷蔵庫の故障だけに見えた。誰も死なせなかったのである。また、生産コストが非常に低く、冷蔵庫の爆発的な普及をもたらした。1948年、イギリスで冷蔵庫を所有していたのはわずか2パーセントだったのが、1970年代にはほぼ誰もが持っていた。これは本当に奇跡的だ。イギリスが、食料置き場や氷箱で営まれていた国から、食べ物や飲み物を冷やして保存する手段を誰もが持つ国になったのだ。おかげで生鮮食料品の流通効率が劇的に向上し、魚、乳製品、肉、野菜といった食材の廃棄量が減って、食料品が値下がりした。冷蔵庫革命と呼んでもいいほどで、それはすべて、人畜無害らしきCFCのおかげだった。

液体冷媒と乱流

狭苦しい機内で椅子に座っているうち、少々冷気が欲しくなる。風をもう少し強くしようと、座席の真上にある吹き出し口に手をかける。だがノズル回らないので、なかば立ち上がって指をもっとしっかりかけなければならない。ようやく口が開いて、強めの冷風が吹き付けてくる。このとき、座席のほこりをいくらか巻き上げたに違いない。座ったとたん、ひどいくしゃみをしてしまった。あまりに急で口を抑える間もなく、何の手も打てない類いのあれである。そうは言ってもこれは重大な機内エチケット違反で、特にくしゃみを肘でブロックできなかったのがまずい。前の座席の女性が振り返り、背のすき間からこちらをのぞきこんで非難の意を表す。通路に立っていた男性が、あからさまな嫌悪の眼差しを向けてくる。周囲の乗客はこう思ったことだろう。私はインフルエンザかもっとひどい何かにかかっているのに、無謀にもそれを抱えたまま搭乗しており、旅行を控えろという医師の忠告を無視してきたに違いない、と。これは誰もがかつて犯したことのある罪ではないだろうか。事実、ウイルスは機内であっという間に広まる。乗客が比較的狭い空間に押し込められているからだ。何とも心苦しい。そのうえさらに悪いことに、さっきのくしゃみには湿り気があった。前の座席の乗客たちはしぶきの1滴や2滴がかかったのを感じたかもしれない。ひどい目に遭わされたと思って最もしかるべきなのがスーザンだが、彼女は何も言わず、端から見るぶんには本に夢中になっている。私は謝りたい。そして、くしゃみの原因はほこりであり、おそらく座ったときに辺りに飛び散ったものだと説明したい。だが、どう切り出したものかわからない。そこで、代わりにハンカチを取り出し、自分の鼻と目の前のビニールシートカバーを拭く。

空調系は実質的に空気の冷蔵庫である。車載のエアコンなら、車内の空気を冷媒入りの銅管の周りに通して空気を冷やす。冷えた空気は水分をあまり含んでいられないので、エアコンには水滴が付く（空気が上昇して温度が下がると雲ができるのもこの原理）。つまり、空調の副産物として、空気が除湿される。気温と湿度の高い国々において、乗用車やバスや列車での移動が耐えられるものになっているのは、ひとえに空調のおかげだ。だが、そのせいで大量のエネルギーが消費されている。たとえば、シンガポールでは、家庭やオフィスでのエネルギー消費の約半分を冷房が占めている。アメリカでは、鉄道、航空機、船舶、トラック、乗用車などの輸送業界全体で同国のエネルギーの4分の1を消費しているほか、空調設備による建物の冷暖房が消費の4割近くを占めている。

冷蔵庫の背面が内部を冷やす結果として熱くなるのと同じで、車両や建物の空調では奪った熱が環境中に放たれ、外気温が上がる。全体としての影響はそこまで大きくはないが、人口の密な都市部は別で、空調による気温の上昇は数字にはっきり表れる。アリゾナ州立大学の科学者らによれば、都会では空調だけで夜間の平均気温の上昇が1℃を上回る。たった?と思ったとしても無理はない。だが、地球の平均気温が2℃上昇しただけでも深刻な気候変動につながる可能性が高いことを思い出してほしい。

このように、空調のエネルギー効率のさらなる向上は世界的な課題だ。その解決に向けた貢献をこの私もささやかながらしたことがある。冷却系の効率を高めるには、熱が金属管内をすみやかに伝わっていく必要があり、それを理由に空調の管には銅が用いられている。値は張るかもしれないが、銅は非常に優れた熱伝導材だ。だが、外気温が40℃に迫ろうというかなり暑い日ともなると、空気の淀むオフィスでは部屋を涼しく保つのに銅管でも力不足のことがある。ところが、管内を巡る液体冷媒の流れ方しだいでこの力関係が変わりうる。

管から出てくる水流のような一様な流れは予想可能な振る舞いを示すが、流れの内部で流速は一様ではない。概して、流れの外縁、管に最も近い辺り、専門用語でいう境界層では、流速が内側よりも遅い。この2層間では熱のやり取りがあまりなく、そのため熱の伝わる速さが落ちる。

ここで、流れを乱流にできれば冷却系の効率は著しく向上する。乱流は流れが混沌としている状態のことで、液体が乱れて渦をつくり、全体がかなり徹底してかき混ぜられる。圧力を高めることも乱流をつくるひとつの方法だ（だから水道の蛇口を全開にすると水は管から乱れ出てくる）。だが、エネルギーが大量に要る。境界層の流れを乱せるならそのほうが良く、そこで、銅管の内壁にらせん状の溝を付けて、溝が液体を絶えずかき混ぜて一様な流れを乱すようにしており、これが乱流をつくる技法の主流となって今に至っている。乱流は液体冷媒による熱の吸収効率を高めており、余計なエネルギーを一切使わずに空調の効率を劇的に向上させている。天才的、でしょ？

ちなみに、これは私の発明ではない。しかし、アインシュタインも思いつかなかったアイデアなので、それほど残念には思っていない。

乱流をつくるこの仕組みが発明されたのは20世紀で、当時の私はまだつづりを習っており、アインシュタインはもう他界していた。だが、私が学校に通い、大学を卒業し、博士課程を修了した頃になっても、空調業界はそこからたいして進歩していなかった。エネルギー効率はいっそう重要な課題となっており、らせん溝付き銅管に対する製造コスト削減の圧力は非常に高かった。その高さたるや、ジェットエンジン用の合金をテーマに博士号を取った私が、オックスフォード大学のブライアン・ダービー教授からこの問題の解決を手伝うよう頼まれたほどだ。ジェットエンジン用の合金とはまるで関連のないテーマで、今振り返ってももっともながら、どう進めたらいいか見当も付かなかった。

溝付き銅管は、歯みがき粉を搾り出すのとよく似た工程でつくられる。想像してみよう。チューブの中に、歯みがき粉ではなくブレットと呼ばれる銃弾のような形をした金属の塊が入っている。ブレットの直径はノズルよりもわずかに大きく、押されてもノズルから出ていかない。このブレットの周りに銅管を流すのだが、ブレットにはらせんの溝が付いており、チューブを搾るとブレットが回転して、銅管の内面に溝を切っていく。そして銅管が引き伸ばされてノズルから出ていくのだ。お見事！　唯一の問題は、ブレットをつくるために、タングステンカーバイドというきわめて硬い材料でできた部品をいくつかボルトで結合する必要があることだ。だが、巨大な銅押出機の内部では、圧力があまりに高くてボルトが折れることがあり、そうなるとブレットが飛び散って巨大な機械を台無しにし、修理に何万ポンドもかかってしまう。

先生と私は、魔法のような話だが、この問題を解決する液体を発見した。素材の内部を液化し、ほかを固体に保つことで、タングステンカーバイド製ブレットの2片の部品を接合できることを突き止めたのだ。これは一種の精密溶接であり、多くの発見と同様、やり方がわかれば実践はたやすい。この2片を一緒に圧縮して高温の炉に入れる。すると素材の内部に液体ができ、2片のあいだを流れて一体化させる。全体が冷えれば、継ぎ目のない単体タングステンカーバイドのできあがりだ。だからといって、ブレットが実稼動で持ちこたえる保証はない。だから、私がタングステンカーバイドでつくったブレットの初試験を見に、アメリカのセントルイスにある巨大な銅管工場へ出かけたときは、壊れようものなら相手企業に1万ドル単位の損害が出るとわかっていたので、本当に緊張した。だが、胸を張って言おう。あの「液相接合」法はうまくいき、先生と私は欧州特許『*Method of liquid phase bonding*（液相接合の技法）』（WO1999015294A1）を取得した。

液体呼吸

より効率的な冷却を目指す手法の発見は万事順調だったが、もっと大きな問題がその姿を現しつつあった。冷却系の動作向上には多大な労力がつぎ込まれ続けていたが、冷蔵庫やエアコンが動かなくなったあとについては誰も考えてこなかった。壊れた冷蔵庫やエアコンはごみの集積場行きとなり、銅管や冷蔵庫のフレームの鋼鉄など、金銭的な価値のある金属は回収された。CFCは誰も回収しなかった。CFCは銅管が切断されるとすぐさま蒸発し、最後にもう一度銅管を冷やして空気中に散っていった。CFCのことは誰も心配しなかった。CFCはすでにヘアスプレー缶などの使い捨ての製品で噴射剤として使われていた。不活性なはずなのだから、いったいどんな害があるというのだ？　気体になったら、風に乗って散っていくだけと思われていた。まさにそのとおりだった。だが、何十年かのあいだに成層圏へ達し、そこで太陽からの紫外線によって分解されて、私たちにたいへんな害を及ぼす分子になった。

太陽は私たちの目に見える光と見えない光を放っている。紫外線は後者で、日焼けをつくる光だ。私たちを焼いてしまえるほどの高エネルギーを持ち合わせており、実際に焼いている。さらされる時間が長いと、ＤＮＡを傷つけられてがんを発症する可能性がある。そのため、日焼け止めは欠かせない。この液体の仕事は、紫外線を肌に届く前に吸収することだ。だが、あなたと紫外線とのあいだには、日焼け止めよりもはるかに効果の高い別のバリアがある。オゾン層である。オゾンはこの惑星用の日焼け止めに当たり、ひとたび塗られると、日焼け止め同様その存在は見えない。実は、機体は今オゾン層の中を飛んでいるのだが、窓から外を見てもわかるまい。

オゾンは酸素と関連がある。私たちの吸っている酸素は酸素原子が２個結合してできた分子（O_2）なのに対し、オゾンは３個結合してできた分子だ（O_3）。あまり安定ではなく、反応性が高いので、そう長いこと存在しない。オゾンにはにおいもあって、火花の飛び散る場にいるとわかることがある。空気中のO_2が一部、火花の高エネルギーと遭遇してO_3に変わり、その結果起こる反応によってつんとくる妙なにおいがするからだ。私たちの吸う地上の空気中にオゾンはそう多くないが、成層圏には太陽からの紫外線を吸収する保護層をなすほどもある。だが、ＣＦＣ分子がオゾン層にたどりつくと、太陽から放たれた高エネルギーの光線と相互作用して分解する。これにより、遊離基（フリーラジカル）と呼ばれる反応性のきわめて高い分子ができる。この遊離基がオゾンと反応して濃度を低下させ、そのせいでオゾン層がなくなっていく。

オゾン層に対するＣＦＣの作用が深刻で、大きな影響が及んでいることには、大気科学者が１９８０年代には気づきだしていた。１９８５年には、イギリス南極研究所の科学者によって、南極上空に２０００万平方キロにもなるオゾン層の穴があることが報告され、ほどなくオゾン層

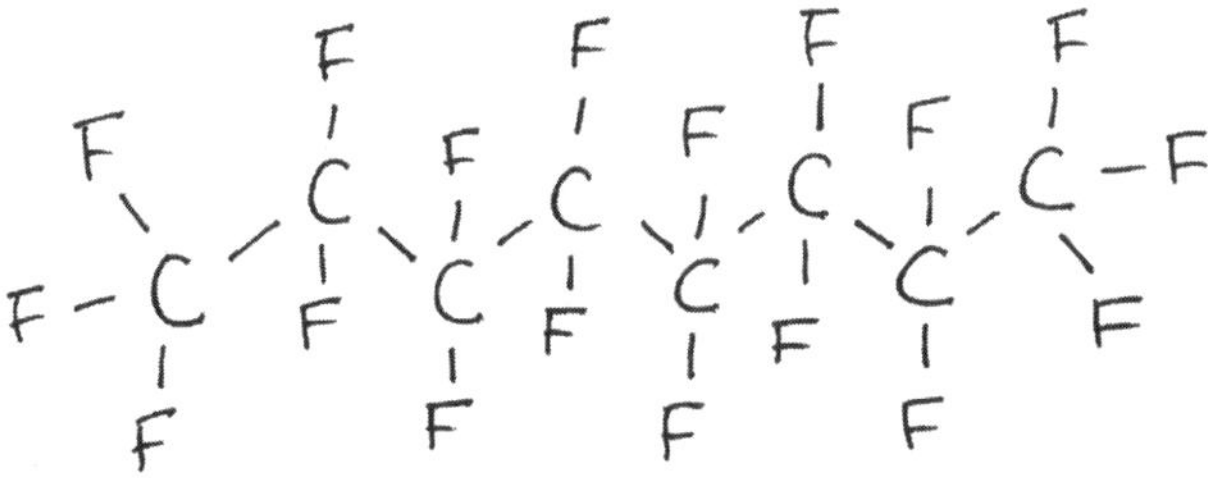

パーフルオロカーボン（ＰＦＣ）分子の分子構造。

の厚さが地球全体で減少していることが突き止められた。主な原因がＣＦＣであることから、その使用を国際的に禁止するモントリオール議定書が採択され、１９８９年に発効した。これにより、冷却にＣＦＣを使用できなくなったほか、衣類の洗濯で水代わりにＣＦＣを用いてきたドライクリーニングでもその使用が禁止された。こうした国際社会のすみやかな対応にもかかわらず、ＣＦＣは今なお漂っており、オゾン層にはほかにも穴が開いている。２００６年には、２５０万平方キロに及ぶ大きな穴がチベット上空に見つかったほか、２０１１年には北極上空で記録的な量のオゾンが失われており、こうしたダメージからの回復は21世紀の終わりになると見込まれている。

一方、化学者はＣＦＣの全盛期にかなりの時間を費やして、炭素とフッ素を主体とする分子の性質を調べていた。その過程で、パーフルオロカーボン（ＰＦＣ）類という驚くべき分子を発見している。ＰＦＣは炭素とフッ素だけの液体で、ＣＦＣと違って塩素を含まない。最もシンプルなＰＦＣは炭化水素に似ており、水素原子がフッ素原子にすっかり置き換わった構造になっている。

炭素とフッ素の結合は実に強く、そのため非常に安定しており、ＰＦＣはかなり不活性だ。ＰＦＣの液体には、ほぼ何を沈めてみても故障しないだろう。携帯電話を入れても、何事もなかったかのように動作を続けるはずだ。ノートパソコンをバケツいっぱいのＰＦＣに浸しても大丈夫で、こちらは実践されている。動作中の冷却効率が内蔵ファンよりもはるかに高く、コンピューターを格段に速いクロック周波数で使えるからである。だがそれにもまして奇跡的なのが、ＰＦＣが体積の最大２割という高濃度の酸素を吸収できるという事実だ。これは人工血液の代わりが務まることを意味する。

代替血液の歴史は長い。失血は主な死因のひとつで、体内の血液を増やす手段は輸血しかない。だが、血液なら何でも輸血できるわけではない。人間の血液は1種類ではなく、輸血がうまくいくのは血液型が一致する場合だけだ。カール・ラントシュタイナーという科学者が、１９００年代に血液型を発見し、Ａ、Ｂ、Ｏ、ＡＢに分類した。彼はこの業績で１９３０年にノーベル賞を受賞している。その10年後には、第２次世界大戦での膨大な数の死傷者をきっかけに、世界初の血液銀行が設立された。

だが、献血者と患者との相性の問題があることから、科学者は信頼性の高い人工血液を探し続けている。それが見つかれば、血液型の一致は必須ではなくなり、血液銀行の苦労も一部軽減されるだろう。１８５４年には牛乳を用いてある程度の成功が収められたが、牛乳の使用が医学界全体から受け入れられることはなかった。動物から抽出された血漿も試みに用いられたが、こちらは毒になることが明らかになっている。１８８３年には、リンガー液と呼ばれるものが開発された。これはナトリウム、カリウム、カルシウムの塩(えん)を含む溶液で、現在でも用いられているのだが、その用途は本格的な代替血液ではなく血漿増量剤である。

だが、ＰＦＣの登場でようやく、人工血液は実際につくれると本気で考えられだした。１９６６年、アメリカの医学者リーランド・Ｃ・クラーク・ジュニアとフランク・ゴランが、マウスが液体ＰＦＣを吸い込んだらどうなるかを研究し始めた。実際に試したところ、マウスは液体ＰＦＣにどっぷり浸かっていても呼吸できたうえ、取り出されると再び空気で呼吸できた。液体ＰＦＣから酸素を得る魚のような生き物から、空気中から酸素を得る哺乳類のような生き物へと戻ったのだ。このいわゆる「液体呼吸」がうまくいっているように見えるのは、ＰＦＣに溶け込んだ酸素を肺が吸収できるうえ、マウスの吐く二酸化炭素をＰＦＣがすっかり吸収できるからでもある。その後の研究で、マウスは何時間でも液体呼吸していられることが明らかになり、人間による液体呼吸の可能性を突き止めるべく、研究がさらに続けられた。１９９０年代になると、初めての臨床試験が行われた。肺に問題を抱える患者が、肺の治療薬を溶かし込んだＰＦＣでの液体呼吸を求められたのである。この治療法はうまくいくようだが、現時点では副作用なしとはいかない。

この奇妙なテクノロジーがどこへ向かっているのか、誰にもわかっていないが、ＰＦＣが何らかの形で普及したなら、環境への潜在的な影響について対策が必要となる。国際社会は、液体Ｃ

ＦＣを禁止することでオゾン層の致命的な喪失を回避し、環境への影響の少ない液体に置き換えてきた。最近の冷蔵庫では冷媒としてブタンが使われていることが多い。ブタンは引火性の強い液体で、冷蔵庫の背面から漏れ出たら危険なのだが、それでもなおアインシュタインの時代に用いられていた液体よりは安全だし、地球にとってははるかにましである。日焼け止めとして私たちを保護しているオゾン層は、ＣＦＣで破壊するにはあまりに貴重だ。

ブタンの危険性は冷蔵庫で使う分には十分小さいかもしれないが、航空機エンジニアが採用するにはやはり大きすぎる。近頃では、飛行機の空調系に液体冷媒は使われない。代わりに空気が機外から吸い込まれ、一連の圧縮・膨張サイクルを経て機内の冷房に使われている。外は何しろ寒いのだ。ただし、滑走路上で空調があまり効かないという欠点がある。地上の空気は温かいからである。そのせいで、出発が遅れても駐機中は空調が効いていて快適なのでなおさら、滑走路が混雑して離陸を待たされているときなど、暑くて参ってしまう。

飛行機の空調系は、温度と湿度を管理しているだけではない。客室内の気圧を安定させてもいる。高度１万２０００メートルともなると、機外に酸素は楽に呼吸できるほどはない、というか到底足りない。そのため、客室内の気圧を外気圧よりもかなり高くしなければならない。そのせいで、胴体の外周が基本的に風船と同じようなストレスを受けて膨らむ。膨らむと亀裂の入るおそれがあることから、その可能性を最小限に抑えようと、空調系は妥協している。気圧の設定を、人が普通に呼吸できるくらいは高いが、胴体の外周に過度のストレスがかかるほどは高くならないようにしているのである。機体が下降を始めると、空調系は気圧が地上と同じになるよう客室内に空気を送り込む。耳がつんとするのはそのせいだ。

旅客機は非常用の液体酸素を積んでいない。客室内の圧力が低下した場合に、頭上の格納場所から落ちてくるマスクで供給されるのは、化学酸素発生器でつくられる酸素である。化学反応でつくるので、小型化と軽量化が実現される。このどちらも、機体に搭載する何についても欠かせない要素だ。私は酸素マスクが作動した便に乗り合わせたことがなく、こうしたシステムが巧みに隠されていることに感心する。頭上の格納場所をしげしげと眺め、どんな仕組みになっているのかと考えていたところへ、客室乗務員が慌ただしい様子でこちらへ身を乗り出してくる。渡されたのはカードだ。一瞬何かと思ったが、サンフランシスコに近づいてきたのだと気づく。ちょうどいい、税関申告書への記入を済ませておこう。そのためにはまた別の液体が要る――インクである。

第10章 不滅・・・ボールペンを生んだ液体工学の天才

古代エジプトのペン

トレイテーブルを下げ、申告書を載せる。ペンが要る。持ってきていたか？　記憶にない。上着のポケットを探る。ない。機内持ち込み荷物は足もとにあるが、あまり前かがみになれず、中を探れない。トレイテーブルが邪魔になっているからだ。それでも、顔をトレイテーブルに押しつけながら、下のかばんに手を伸ばしてみる。変な姿勢だ。テーブルを戻せばいいだけだとわかってはいるが、自分でも説明のつかない理由でそうしない。どちらの手もなんとか届き、あちこちまさぐりながら、かばんの中の世界を視覚に頼らずに調べる。これは携帯電話、これはノートパソコンのACアダプター、これは靴下、と感触でわかる。顔をスーザンのほうへ向けているので、彼女にしかめ面を見せる格好になっている。今の私は注意を惹こうとする幼い子供のように見えているのか、こちらをちらりと見た彼女の目にいらだちが浮かんだ気がする。とそのとき、手応えあり。かばんの奥底に円筒形らしき、ペンのような何かがある。真珠を手に水面へ浮上するダイバーのごとく、頭を起こしてかばんの奥底からその物体を引き揚げる。確かにペンだったが、かばんに入れた覚えもなければ、持っていたことも買ったかどうかすら定かでない。ずっとそこにあって、わが人生の残骸に埋もれてこの目に留まらず、時とともにたまっていく小銭やチョコの包み紙と一緒に無視されてきたのだ。いつか必要になるなど考えたこともなかった。出てきたのはボールペンである。

ボールペンはペンらしさの本質を体現している。万年筆のような社会的ステータスはなく、フェルトペンのような洗練さもないが、たいていの紙に書け、求められた仕事をこなす。液漏れで服を汚すことはめったになく、かばんの底に何ヵ月と放っておかれたあとでも、使ってみると一発で書ける。これだけの仕事ができるのに、値段はかなり安く、気安く手放されるのが常だ。現に、たいていの人がボールペンを公共財であるかのように扱う。書類にサインするのにと誰かにボールペンを貸して、返すのを忘れられたとしても、相手を本気で泥棒扱いはしないだろう。そのペンをいつ手に入れたのか、おそらくは貸した当の本人がそもそも覚えていない。きっと誰かから借りたままというところ。それはともかく、ボールペンがこうもうまく機能するのはシンプルだから、と思っているなら大間違いだ。真実からかけ離れていることこの上ない。

当然ながら、ペンにはインクが欠かせない。インクは2つの仕事をこなすようにつくられた液体である。その2つとは、紙の上に流れ出ること、そして固体に変わること。流れ出るのは難し

『アムンの金細工師、ソベクモセの死者の書』のパピルス断片（紀元前1500～1480）。

くない。液体とはそういうものだ。そして、固体に変わることについても、液体は概してそうなる。だが、この両方を適切な順序で、確実に、きわめて短時間でやり遂げ、インクがにじんで判読不能にならないようにすることは、見かけよりもずいぶん難しい。

歴史学者によると、ペンを初めて使ったのは古代エジプト人で、紀元前3000年頃のことだった。彼らが使ったのはリードペンで、一般には竹や葦（リード）のような、茎が硬くて中空の植物でつくっていた。茎を乾燥させ、一端の形を刃物で整えて先端を尖らせ、インクをうまい具合に載せられる道具にしたのである。ただし、それがペンの役目を果たすには、茎がちょうどいい太さでなければならない。径が十分に細ければ、インクとペン先表面とのあいだの表面張力によって重力の影響が抑えられ、少量のインクを保持していられる。エジプト人が紙として使っていたパピルスにペン先が触れると、ロウソクやオイルランプで芯を機能させているのと同じ力、すなわち毛細管現象によって、インクがパピルスの繊維へと吸い出される。乾燥している繊維がインクの水分を吸収すると顔料が紙面に付き、水がすっかり蒸発すればインクの跡がパピルスにずっと残る。

エジプト人は黒インクをつくるのに、オイルランプから出る煤と、アラビアゴムノキから採れるゴムとを混ぜた。このゴムが結合剤の役割を果たした。エジプト人は、合板の接着の場合と同様、アラビアゴムノキから採れるゴムを、パピルスの繊維に煤の黒い炭素を付けるための接着剤としても用いたのだ。また、炭素は水が大嫌いで、水とは混ざらないのだが、このゴムが炭素を水になじませ、黒く滑らかで自由に流れるインクをつくる。このゴムがアラビアゴムで、今なお用いられており、たいていの画材店でチューブ入りペーストが買える。ゴムに含まれているタンパク質の力によってさまざまな顔料の結合剤になるので、水彩絵の具、染料、インクなど、あらゆる類いの着色剤に使える。とにかく、エジプト人は炭素を使ったわけだが、この選択が吉と出た。炭素ベースのインクはつくるのが簡単なうえ、どれともあまり反応しない。何千年も前のエジプト人の文書が現存しているのはそのおかげだ。炭素でできた黒インクの化学的耐久性のおかげで、私たちの手元に残っているのである。

意外と簡単、とお思いだろうか。だが、炭素インクは完璧ではない。たとえば、税関申告書の記入には向かないだろう。水性なので、すぐには乾かず、にじみやすいし、乾いても、色素剤である煤を紙面に押さえるゴムの力は強くなく、機械的にこすり取れてしまう。あなたは気にしないと言うかもしれないが、気にする人はいて、それから数百年、もっといいインクをつくろうと実験が続けられた。

インクの流れをいかに制御するか

やがて、没食子（もっしょくし）インクが発見された。キリスト教徒が聖書を記すのに用い、イスラム教徒がクルアーン（コーラン）を記すのに用い、シェイクスピアが戯曲を書くのに用い、法律家がこぞって法令を記すのに用いたインクだ。非常に優れており、20世紀になってもまだよく使われていた。

没食子インクをつくるには、まず鉄釘を瓶に入れて酢を加える。酢が鉄を腐食して、帯電した鉄原子を大量に含む赤茶色の溶液をつくる。没食子とはナラの木に見られることのある虫こぶで、タマバチが卵を芽に産みつけるとできる。成長する芽の分子機構を操作して幼虫の食べ物をつくるのである。ナラにとっては迷惑な話だが、文献にはありがたい。というのも、こうしてできる没食子にはタンニンが豊富で、インクに革命的なイノベーションをもたらしたからだ。

タンニンは植物界にあまねく見られる。植物の化学防衛システムの一部なのだが、私たちはなぜかこれを検知する味覚を発達させた。覚えているだろうか。紅茶や赤ワインに渋味を与えているのがタンニンだ。タンニンは色のある分子で、タンパク質との化学結合がうまい。そのため、タンパク質でできているものと結合するという形で着色ができる。昔から革の染色に用いられてきたが、それは革にはタンパク質であるコラーゲンが豊富に含まれているからだ。そんな縁で、英語で「タンニン（tannin）」は「なめす（tan）」という意味の言葉の語源となっている。また、赤ワインや紅茶が服や歯にひどいしみを残す大きな原因でもある。それを思うと、タンニンをインクに使うのもそう驚くことではないのかもしれない。インクとは、言ってみれば意図的なしみだ。だが、タンニン濃度の高い液体をつくるのは難しい。そこで鉄と酢の溶液を用意するのである。この溶液は没食子に含まれるタンニン酸と反応し、タンニン酸鉄という物質をつくる。タンニン酸鉄は、水にとても溶けやすくて流動性が高く、紙の繊維に触れると、毛細管現象によって紙のあらゆる微小なすき間に流れ込んで均一に広がる。そして水が蒸発すると、タンニン酸が紙の内部に残り、長持ちする青黒い跡を残す。この耐久性こそ炭素インクに対する大きな強みだ。色素剤が紙の表面ではなく内部に付くので、こすったり洗ったりしても取れない。

当然ながら、没食子インクが取れないことは、それを使う側にすると欠点のひとつでもあった。税関申告書の記入に私が今持っているボールペンを使うに当たってペン先をインク壺に浸らせる必要はなく、ペンの表面にインクまみれの部分は一切ない。だからこの指は今もきれいで、少し前に液体石けんで洗ったときと変わらない。声を大にして言うが、筆記史の大半においてこうはいかなかった。インクはどこにでも付く。特に使う者の手に。そして、没食子インクは、その耐久性ゆえ簡単には落ちず、石けんで洗ったくらいではだめだ。人々は不平をもらし、その一部は皮肉なことに没食子インクを用いて書き記されてもいる。10世紀にはマグレブ（今のアルジェリア、リビア、モロッコ、チュニジアにわたる北西アフリカ）のカリフがいい加減頭にきて、お抱えの技師に解決を命じた。すると後日、記録に残る初めての万年筆がカリフに献呈された。その万年筆には内部にインクタンクがあり、上下逆さまにしてもインクがもれなかったとされている——が、率直に言ってそれは考えづらい。当時の技師の技量がそれほどでもなかったからではなく、万年筆はそれから1000年、繰り返し再発明されているからであり、再発明がそれこそ幾度となく繰り返された末に安定な機構ができあがったのが19世紀後半のことだ。レオナルド・ダ・ヴィンチも16世紀に試みており、安定な線幅で書けるペンをつくれたという証拠が残っている。当時普及していた羽根ペンで書くと、線はえてして徐々に太ったり細ったりした。また、万年筆は17世紀には確実に存在しており、海軍官僚サミュエル・ピープスの有名な日記にも登場している。ピープスは、インク壺を持ち歩かずにペンを持ち歩けることは評価していた。だが、当時の万年筆も完璧ではなく、やはり羽根ペンと、そのとおり、没食子インクを使うほうを好んでいた。

19世紀になると、万年筆の特許が急増した。どれも自由に流れるインクを使っていたが、インクが一気に出て大きなしみができたりしないように流れを制御する手段は誰も考案していなかった。インクタンクに小さな穴を開ければ済む話ではない。穴が小さすぎればインクはまったく出てこないし、少し大きめにするとインクが紙にボタ落ちする。こうした挙動について、万年筆の発明家は理解を徐々に深めていった。原因は、空気の影響と、インクタンク内部における真空の形成だった。

液体を容器から注ぎ出すなら、出る分を何かに置き換えなければならない。そうしないと容器内に真空が生まれ、液体を外へ流れ出させなくする。どういうことかは、瓶の口をすっぽりくわえて飲み物を飲んでみればわかるだろう。飲み物が出てくるとき、その分の空気がゴボッという音とともに瓶の中へ入っていく。1回1回のゴボッが、空気が瓶の中へ何とか入り込もうとしている音であり、そのあいだ飲み物は流れ出てこられない。つまり、出入りは交互に起こる。飲み物が出て空気が入り、出て入り、ゴボッ、ゴボッ、ゴボッ。瓶の口を少しだけ外に出した状態では連続的に飲むことができ、ゴボッという音はしない。空気がスムーズに入っていけるからだ。そのため、口の広いカップやコップなどの容器から飲むのはたやすい。

だが、初期の万年筆にはインクタンクに空気を送り込む機構が何もなかったので、紙にインクをむらなく流し出すのが難しかった。インクタンクのてっぺんに穴を開ければ終わりだと思うかもしれないが、そうするとペンを上下逆さまにしたときに所構わず液漏れする。この問題に誰もがてこずっていたところへ、1884年、アメリカの発明家ルイス・ウォーターマンが金属ニブ〔ペン先〕の設計を完成させて、インクが重力と毛細管現象の合わせ技で溝に沿って流れるようにしつつ、入ろうとする空気がタンクに向かって逆方向に通り抜けられるようにした。彼の設計によって万年筆の黄金時代が到来した。今でいう携帯電話さながらにコミュニケーションの形を変え、万年筆は誰もが欲しがる品物になった。万年筆を持っていることは、いつ、どこでも、何にでも、何かを書かなければいけない重要人物であることの証だった。初期の携帯電話やノートパソコン、あるいは歴代の流行りものと同じで、カッコイイものだった。

そうはいっても、当然ながら問題はほかにもあった。没食子インクは一般に強酸性で、新品のペンの金属ニブを腐食した。また、微粒子が混ざり込んでいることも多く、紙に書いたインクに粒が見えたり、粒がニブを詰まらせてインクが出なくなったりした。書き物を妨げる目に見えない障害を取り除こうと、書き手は怒ってペンを激しく振り、そのせいでインクがカフェの端から端まで飛んだり、何も知らない通行人の衣服に付いたりした。万年筆は完璧だったかもしれないが、インクが完璧ではなかった。没食子インクに代わるインクが必要になった。

多重最適化問題と非ニュートン流動

とはいえ、問題は複雑だった。ペンの内部を流れつつペンを腐食させないという性質と機能、紙との相互作用、長持ちする跡を残しつつすぐに乾く必要性、このすべてを一度に考慮しなければならないのだ。工学用語で言う多重最適化問題である。やがて、さまざまな解決策が生まれ、各メーカーが異なる策を設計に採り入れたので、万年筆を買うと、それ専用に調合されたインクを使うよう求められる。たとえば、パーカーペンカンパニーはボタ落ち問題への対策として1928年に「クインク」インクを開発した。合成色素剤とアルコールを混ぜることで、ペンの中をスムーズに流れ、紙に触れるとすぐ乾くインクをつくったのだ。だがあいにく、ペンづくりに使われだしていたセルロイドなどのプラスチックを化学的に侵食もした。また、耐水性がなかったので、紙が湿るとインクが再び流れ、インクをなす個々の色素剤に——たとえば黒インクが黄と青に——分離して、やがて文字が判読できなくなった。

問題はかくもいろいろあったが、ほとんどのメーカーが、万年筆には未来があり、インクの最適化こそ信頼性の高い携帯型の筆記用具への答えだと確信していた。だが、ハンガリーの発明家ラースロー・ビーローの考えはまったく違っていた。この最適化問題に、彼は真逆のアプローチで取り組んだのだ。発明家になる前、彼は記者として働いており、新聞の印刷に使われるインキが優れていることに気づいていた。新聞印刷用のインキは乾燥が非常に速く、にじみもめったにできなかった。だが、万年筆に使うには粘性が高すぎた。流れ出ずにペンを詰まらせたのだ。そこではたと思いついた。インクを変えるのではなく、ペンを設計し直してはどうか？

ラースロー・ビーローの書いた新聞記事は、インクを連続用紙に押しつける一連のローラーからなる輪転印刷機で刷られた。国中の需要を満たすのに必要な何百万部という新聞を用意して翌朝の配達に備えるため、新聞社は大急ぎで刷らねばならなかった。用紙は輪転機を毎時何千面という速さで流れるので、紙面を重ねて新聞にまとめる段になってにじみができないよう、インキはすぐさま乾かなければならない。このニーズを満たすために開発されたのが、ラースローが大いに評価していた印刷インキだった。ラースローは改良方針を検討するなかで、輪転機による印刷過程をペンというはるかに小さいスケールで再現する方法を考えた。必要となるのは、ペン先にインクを継続的に供給できるローラーのようなものだ。やがて、微小なボールを使うというアイデアを思いついた。だが、ボールを使ってインクを紙にのせるとしても、どうやってインクをボールまで送ったものか？　輪転機のインキは濃すぎて、ペンのインクタンクからボールまでインクを重力で引き下ろすことはできない。そこへ救いの手を差し伸べたのが、非ニュートン流動という奇妙な物理だった。

液体が流れる速さと液体をずらすような力とのあいだには関係性があり、粘性と呼ばれている。ハチミツのようなねっとりした液体は粘性が高くてゆっくり流れるのに対し、水のようなさらさらの液体は粘性が低く、同じ力が加えられてもより速く流れる。たいていの液体では、加わる力が増えても粘性は変わらない。この振る舞いはニュートン流動と呼ばれている。

だが、なかには奇妙な液体があって、ニュートン流動のルールに従わない。たとえば、コーンフラワー〔トウモロコシの穀粉〕に水をいくらか混ぜてできる液体は、穏やかにかき混ぜれば流れるのだが、素早くかき混ぜようとすると粘性が非常に高くなって固体のように振る舞う。液面にパンチを食らわせても、液がまったく飛び散らないどころか、固体であるかのようにこぶしに抗う。これは非ニュートン挙動と呼ばれており、流れ方を決める粘性が1つに定まっていない。

このコーンフラワー液はウーブレックと呼ばれることもある〔呼び名の由来は『ドクタースース』シリーズの"Bartholomew and the Oobleck：バルトロメオとウーブレック"〔邦題は『ふしぎなウーベタベタ』日本パブリッシング〕〕。ウーブレックが非ニュートン挙動を示す原因はひとえにその内部構造だ。微小スケールで見たウーブレックは微小なデンプン粒子で満ちており、コーンフラワーが水の中に濃密に分散している。速さが遅いとき、デンプン粒子には互いにすれ違うルートを見つけられるだけの時間的余裕がある。混雑した電車から乗客が出ようとしているようなもので、この場合は普通に流れる。一方、速く流そうと圧力をかけた場合、たとえばウーブレックを素早くかき混ぜてみたり、液面をパンチしてみたりすると、デンプン粒子に時間的余裕がなくて互いにすれ違って動くことができず、その場に足止めされる。出入口付近で動きがないと奥の乗客が動けないのと同じで、数少ないデンプン粒子に妨げられてほかがすべて動けなくなり、ひいては液全体が動けなくなって、粘性がいっそう高まるのだ。

非ニュートン流体はウーブレックだけではない。エマルション塗料で壁を塗ったことがあればご存じかもしれないが、この塗料は容器に入っているうちは実にねっとりしており、ほとんどゼリーだ。ところが、容器側面の指示に従って塗料をよく混ぜると、かき混ぜるにつれて塗料が緩み、手を止めるとすぐさまゼリーに戻る。これも非ニュートン挙動なのだが、こちらでは、力を加えられた液体が粘り気を増すのではなく、逆に流れやすくなっている。この挙動の原因も、やはり液体の内部構造だ。エマルション塗料は、単なる水に油の微小な液滴を大量に分散させたものだ。油の微小な液滴が集まりだすと、互いに引き合って微小な結合を形成し、その合間に水を捕らえて緩い構造をなす。これが先ほどのゼリーだ。塗料をかき混ぜると、油の微小な液滴を互いにつなぎとめている分子結合が壊れ、水が放たれて塗料が流動する。同じことは、刷毛（はけ）で壁に塗るという形で塗料に力を加えても起こる。だが、塗料がひとたび壁につくと力が加わらなくなって、油の液滴間で結合が再び形成され塗料の粘性が高まり、濃厚で垂れないコーティングができる。まあ理論上はそうなのだが、結局は、塗料を調合する化学者が油の液滴どうしの結合や液滴の大きさと数をいかにうまく調整するかにかかっている。これというバランスを見つけるにはたいへんな労力が必要なので、少々値が張っても質の高い塗料を買う価値がある。

ペンキ職人でなくても、非ニュートン流体には台所でお目にかかっているはずだ。エマルション塗料と同じく、トマトケチャップも力が加わると緩む。放っておけばそのままだが、ガラス瓶を叩いてケチャップにずらすような力をある程度加えると、急に緩んで口から出てくる。瓶から出てくるケチャップの量を調整するのがあれほど難しいのはこのせいだ。力が足りないとじりじりとしか流れないのに、強く叩いた途端に粘性が下がって皿の上に一気に飛び散る。

なかでも危険な非ニュートン挙動のひとつが砂と水を混ぜると起こり、できた物質はよく流砂（クイックサンド）と呼ばれる。流砂はその性質としてなかば固体なのだが、圧力が加わると緩んで流体になる。これがいわゆる液状化だ。流砂にはまったときに、抜け出そうと身をよじってもがくほど、流体が緩んで体がさらに沈むのにはこんな理由がある。ただし、映画でどう描かれていようとも、流砂に埋もれて命を落とすことはまずない。なぜなら、流砂は人体よりも密度の高い液体であり、ひとたび胸の辺りまで沈むと人体は浮上に転じるのだ。とはいえ、脱出はかなり難しい。動かなければ液体が締まって身の回りが固まるし、もがけば緩んで確固たる足場が得られない。言い換えると、救出されるまで身動きが取れない——だから命にかかわるのである。

流砂よりもさらに危険なのが、地震の最中に起こる液状化だ。これも命を脅かす非ニュートン流動の一例で、地震の揺れの力が土壌を液状化し、往々にして甚大な被害をもたらす。2011年にニュージーランドで起こった地震は、クライストチャーチ市を襲って深刻な液状化を招き、建物が崩壊したり、何千トンという砂や沈泥が噴出したりした。

この非ニュートン流動化こそ、ねっとりした新聞インキを万年筆で使えるようにするためにラースロー・ビーローがまさに必要としていた性質だった。こんな性質のインクなら、書いている最中は容易に流れるが、ひとたび紙に付くと、粘り気が増してあっという間に乾いて固体となるので、にじまない。そんな仮説を彼は立て、化学者だった弟とともに完璧なペンの試作に取りかかった。そして、第2次大戦の勃発によってアルゼンチンへの移住を余儀なくされるなどの幾多の苦難を乗り超え、うまく書ける試作品をつくりあげた。2人のペンではインクを芯から、回転する微小なボールへと供給する。このペンで書くとボールが回転し、十分な圧がインクに加わって粘性が変わり、インクがボールから出てくる。この段階でインクは粘り気のある物質に戻るのだが、紙に触れるとまた緩んで広がる。ペンを紙から離して、加わっていた力をなくすと、インクは粘り気を取り戻し、含まれている溶媒が初めて空気に触れてあっという間に蒸発して、色素剤を紙に残していつまでも消えない跡をつくる。天才的！

社会への大きな影響

お察しのとおり、こうした高性能インクの成分は昔から企業秘密だが、それらがいかに優れているかは、ボールペンで紙に何かを書き、それを指でこすってにじませようとしてみると体感できる。何とも大変なはずだ。だが、流動性の高い万年筆のインクと比べてボールペンのインクが優れている点はそれだけではない。毛細管現象で流れるわけではないので、ほかのペンのインクとは違って、紙に染み込むときににじまない。ボールペンのインクは紙のセルロース繊維と接したときに、あるいは紙面に光沢を与える（いわゆるサイジングで、インクがにじまないようにする加工）ために添加されるセラミック粉末や可塑剤と接したときに表面張力が低くなるよう化学的に調合されている。万年筆のインクやその他の液体インクは、サイジングされたものとのあいだの表面張力が高いことから、紙の上に乗ると小さな液滴に分かれる。光沢紙を使った雑誌の表紙にメモ書きしたり、クレジットカードの裏面に署名したりするのに万年筆を使ったことがあれば、この振る舞いはご存じだろう。インクが定着しないのだ。だがどうやらボールペンのインクは、何に書いてもたちまち乾いてその場に留まる。たとえペン先を上に向けて書いても。インクを流し出すのに重力に頼らず、ボールで紙に転写しているからだ。

実際にペン先を上に向けて書こうとしてみれば、ボールペンのほうが優れているまた別の面に気づくだろう。ボールペンも万年筆と同様、芯に真空ができれば機能しない。だが、簡単な方法でそれを防いでいる。芯の一端が開け放たれているのだ。ボールペンのインクは粘性がきわめて高く、かなりの力がかからないと流れないので落ちてこない。うまいと思いませんか？　こうしたおかげで、忘れっぽい人にはありがたいことに、かばんの奥底に何ヵ月と放っておいても、液漏れして中の物がインクまみれになったりはしない。キャップを閉め忘れたままポケットに突っ込んでいても、インクは漏れてこない。

このコンセプトが魅力的なうえ、キャップを何ヵ月と閉め忘れていても実に安定して書けることから、初期のメーカーはそもそもキャップなしでも良さそうだと気づいた。使わないときは芯とボールを本体に引っ込めればいいのでは？　実現は簡単で、かくして格納式のボールペンが誕生した。カチッとやれば書けるようになり、再びカチッとやればペン先が引っ込む。手がまったく汚れないうえ耳にも心地良い格納式ボールペンを、マグレブのカリフならどれほど喜んだことか！

ビーロー兄弟はアルゼンチンへの移住後に最初の市販のボールペンを製造した。売れに売れ、数え切れないほどの顧客がついた。そのひとつがイギリス空軍で、それまで使っていた万年筆が高高度で必ず液漏れしていたことから、その代替品としてナビゲーターに使わせたのだった。この話を覚えていた私は、手にしているボールペンを新たな敬意をもって眺める。操縦士やナビゲーターらがボールペンの良さを早くから認めており、そんな初期のボールペンの末裔を使って高高度で税関申告書に記入していることが嬉しくなる。今日世界最大のボールペンメーカーであるフランスのビックによれば、２人が発明してからこれまで製造されたボールペンの数は

1000億本を超えている。

ラースロー・ビーロー（Biró）は1985年に他界したが、彼の遺産は生き続けている。アルゼンチンでは毎年彼の誕生日である9月29日を「発明家の日」として祝っているし、イギリスではボールペンを今もバイロ（biro）と呼んでいる。

こうした成功にもかかわらず、ご承知のとおり、ボールペンを毛嫌いする人は多い。手書きの良さを損なっている、と彼らはボールペンをあからさまにけなす。持ち運びやすく、にじまず、液漏れせず、長持ちし、値段が安く、社会的に共有されるペンができたことの引き換えに、書かれる線の太さが変わらないという代償があることは確かだ。線幅はペン先のボールベアリングの大きさで決まり、ボールペンのインクはひとたび紙に載ると流れないので、ニュートン流体のインクを使う万年筆などのペンとは違い、素早く書いてもゆっくり書いても線幅は変わらない。ボールペンでの筆記は実用指向で、個人の筆跡ということでは表現力に劣る。だが私に言わせれば、ボールペンは社会への影響ということでは自転車と肩を並べる。この液体工学の成果は長年の問題を解決し、実に安定して書ける筆記用具を生みだし、それをたいていの人が公共財扱いするほどお手頃な価格で手に入るようにした。

税関申告書の記入を終える頃には、このボールペンに対する畏怖の念があまりに募ってしまい、さっさとかばんの中に片付けてまた数カ月無視する気にはなれない。どうしようかと悩んでいると、気がつけばスーザンがこちらを見ている。ここまでフライトをともにしてきたスーザンとは別人だ。笑みを浮かべている。彼女の前にも税関申告書が置かれており、親指と人さし指で輪をつくって書き物をするしぐさをしながら、このボールペンを貸してくれないかと聞いている。

第11章 曇天…上層の水分子から放電する稲妻へ

機内で落雷に遭うことは？

「ポーン」という音に続き、機内放送が始まる。「ご搭乗の皆様、当機はサンフランシスコに向けて高度を下げてまいります。お座席の背もたれとテーブルを元の位置に戻し、シートベルトをしっかり締め、お手荷物をすべて前の座席の下か頭上の棚に収納ください」

機体が降下を始めており、耳がつんとしだす。予感を覚える――フライトという仮死状態が終わって、人生が再開する予感を。この旅は私の人生を一時停止させる代わりに、私に万能感を味あわせてきた。雲は上空にいる私には雨を降らせられない。ロンドンの自宅にいるときとは違って、日差しを好き勝手に遮ってこちらの気分を左右することもできない。上空にいると日差しが窓から差し込んできて、沈むことのない太陽の輝きがこの顔を温める。とはいえ、沈むことがないのは機体が降下してふいに雲の層に入るまでのことだ。雲の中では太陽の姿が見えないばかり

DAY	STATE	CITY	AGE	SEX	LOCATION	ACTIVITY
Fri	LA	Larouse	28	F	In tent	Attending Music Festival
Fri	FL	Hobe Sound	41	M	Grassy Field	Family Picnic
Fri	FL	Boynton Beach	23	M	Near Tree	Working in yard
Wed	MS	Mantachie	37	M	Outside Barn	Riding Horse
Wed	LA	Slidell	36	M	Construction Site	Working
Mon	FL	Manatee County	47	M	Farm	Loading Truck
Fri	FL	Daytona Beach	33	M	Beach	Standing in water
Sat	MO	Festus	72	M	Yard	Standing with dog
Mon	MS	Lumberton	24	M	Yard	Standing
Sun	LA	Pineville	45	M	Parking Lot	Walking to car
Thu	TN	Dover	65	F	Under tree	Camping
Thu	LA	Baton Rouge	70	M	Sheltering under tree	Roofing
Thu	AL	Redstone Arsenal	19	M	Outside building	Outdoor maintenance
Thu	VA	Bedford County	23	M	Along roadway	Walking
Sat	NC	Yancey County	54	M	Putting on rain gear	Riding Motorcycle
Tue	CO	Arvada	23	M	Sheltering under tree	Golfing
Tue	AL	Lawrence County	20	M	In yard under tree	Watching Storm
Wed	AZ	Coconino County	17	M	Near mountain top	Hiking
Fri	UT	Flaming Gorge	14	F	On reservoir	Riding jetski

アメリカ国立気象局が国内で落雷により発生した死亡事故についてまとめた表。

か、景色が唐突に真っ白な霧へと変わり、万能感と安心感をすっかり追い払う。ホワイトアウトである。

この機体が突っ込んだ雲は、ほかのあらゆる雲と同様、ほぼ純粋な水の液滴でできている。「ほぼ」というのがミソで、これこそ雨水がきれいではない理由、雨で窓が汚れる理由、霧の出る場所と出ない場所がある理由だ。雲の水は無垢でもなければ人畜無害でもなく、人の命を奪うこともある。地球のどこかで、昼夜を問わず、雷雨が猛威を振るっており、全世界で毎秒50回というかなり一定したペースで稲妻を光らせている。推定によると、落雷で毎年1000人以上が命を落としており、けが人の数は万の単位にのぼっている。アメリカ国立気象局は、落雷による死亡事故とそのときの状況を記録に残し続けている。前ページの表は２０１６年の項目の一部だ。これを見ると、樹木の陰に逃げ込むのが得策ではないことや、危険な目にはどこにいても遭いそうなことがわかる。では、機内で落雷に遭うことはありうるのか？　この疑問は答えを探る価値がある。

　雲はその生涯を、洗濯ひもに干された濡れた洗濯物として、舗装道路の水たまりとして、上唇の上で光る汗として、大量の海水の一部としてスタートさせる。時々刻々、H_2O分子がいくつか、濡れた洗濯物を、水たまりを、上唇を、海のようなまとまった水を離れて空気中に入り込む。水の沸点は１００℃だが、沸点とは海抜ゼロメートルで純粋な液体が気体に変わる温度である。では液体の水はどのようにして、この温度に達することなく気体の水になるのか？　水がズルをして勝手にはるかに低い温度で洗濯物や上唇を乾かしたり、水たまりを干上がらせたり、海から出ていったりできるなら、沸点を定義することに意味があるのか？

　ここで一言申し上げておこう。固体、液体、気体の定義は意外と明快ではなく、世界を分類して違うものどうしをきれいに区別するという科学者の営みは、この宇宙が複雑なせいで絶えず邪魔立てされている。水が系を欺いて雲をつくる仕組みを理解するには、エントロピーと呼ばれる重要な概念について考えることが必要だ。

　洗濯ひもに干された衣類に付いている水は、温度は１００℃よりも低いが、空気に触れている。空気中の分子が洗濯物に襲いかかり、無作為に動き回るなかで洗濯物に激突する。ときたま、この大騒ぎのさなかに、H_2O 分子が飛び出して空気の一部になることがある。そのためにはある程度のエネルギーが必要だ。H_2O 分子を濡れた衣服にくっつけている結合を切らねばならないからである。衣服からエネルギーを奪うと洗濯物が冷えるが、その H_2O 分子が空気中を漂ううちに再び洗濯物に体当たりしたなら、洗濯物にくっついてまたエネルギーを得て、再び湿り気が増すことになる。ということは、平均すると、衣服に再びくっつく水分子のほうが、風による空気流で持っていかれる水分子よりも多いのでは、と思うかもしれない。だが、ここでエントロピーが効いてくる。洗濯物を取り巻く空気は大量にあり、水分子はとても少ないので、水分子が洗濯物に再びくっつく機会を得る可能性は低く、大気中へ散っていく可能性のほうが高い。乱されて広がるという分子世界の傾向の尺度が、系のエントロピーだ。エントロピーの増大は宇宙の自然法則であり、水を洗濯物に再びくっつける凝結の力に抗う。気温が低いほど、そして洗濯物が風に当たらないほど、バランスは凝結側に傾き、洗濯物はいつまでも乾かない。逆に、洗濯物を暖かい日に干せば、バランスがエントロピー側に傾き、洗濯物は乾く。

エントロピーはほかにも道路の水たまりを片づけ、シャワーを浴びたあとの浴室を乾かし、暑い日に肌に浮く汗を取り去る。衣服や浴室の乾燥や涼しい体感がいかに好まれているかを思えば、エントロピーは実に便利で概してとても都合のいいものに思える。だが、好意的に働くその同じ力が、命を奪う雲を突き動かしてもいて、稲妻をあちこちで走らせては毎年何千人に落として、大気圏の支配者が本当は誰なのかを思い知らせている。

雷雲の形成過程の出発点は蒸発したH_2Oで、水蒸気は気体として動き回る。暖かい空気は冷たい空気よりも密度が低く、上昇するので、夏の日の水分子は洗濯物を出て大気中を昇っていく。空気は水分をたっぷり含んでいても透明なので、雲のできる兆しは最初のうちはまったく見られない。だが、水蒸気が上昇していくうち、空気が膨張して冷え、熱力学的なバランスはH_2O分子が凝結して液体の一部になりたがるほうへと傾く。とはいっても、空気中の分子が単独で液体に戻ることはできない。微小な水滴をつくるためには連携が必要で、1滴をなすにもH_2O分子がいくらか集まらなければならない。混沌として荒れ狂う大気中ではそう簡単に行かないが、空気中に粒子状の微小な物質が存在すると事がはかどる。そうした微粒子は、樹木や草花から吹き飛ばされた細かいちりや、工場の煙突から排出された煙であることが多い。H_2O分子はこうした微粒子にくっつくことができ、ついた分子が増えてくると、その微粒子が微小な水滴の核になる。こんな理由から、貯めた雨水にはおりが含まれるし、雨が乾いたあとの車のフロントガラスや家の窓には微粉末が残る。

雲の種をまく

この物理をもとにしたのが、20世紀から行われてきた奇抜なことこの上ない実験のひとつだ。科学者が天気を制御しにかかったのである。人工降雨・人工降雪やクラウドシーディングと呼ばれるその技法は、1946年にアメリカの科学者ヴィンセント・シェーファーが発明した。

シェーファーと彼のチームは、ヨウ化銀の結晶を大気中にまけば、それがちりや煙と同様に振る舞って、凝結を引き起こして雲をつくる核——いわば雲の種(シード)——となり、できた雲が雨や雪を降らすと考えた。科学であり技術でもあるこの技法は、幅広く用いられて数十年になるが、その効果を疑う者は多い。

それでも、旧ソ連では毎年モスクワ上空に雲の種をまいていた。大気中の水分を雨にして一掃し、メーデーの行事が青空のもとで行われるようにするためだった。米軍はこの技法をベトナム戦争中に別の目的で採用した。ホーチミンルートの雨季を延ばすためである。「ポパイ作戦」と呼ばれ、ミッションは「戦争ではなく泥をつくる」ことだった。今日では中国、インド、オーストラリア、アラブ首長国連邦といった世界各国が、渇水対策のひとつとして人工降雨を試している。当然ながら、大気中に種をまいて制御できるのは、天候を左右する側面のうちでも雲の形成だけだ。そのため、大気中の水分が少なければ、種をどれだけまいたところで雨は降らない。だが、水分が豊富なら、この技法を使ってスキー場の降雪を増やしたり、嵐による穀物へのひょう害リスクを減らしたり、といった成果が上がりうる。１９８６年のチェルノブイリ原発事故後にも、大気中から放射性粒子を除去できるくらいの雨を降らせようと、人工降雨が用いられている。

飛行機は、雲の種まきにヨウ化銀を用いる必要はない。晴れた日に空を見上げると、ジェット機の後方から飛行機雲が発生しているのがよく見られる。あれは整備不良のエンジンから出た煙ではない。エンジンからの排出物を種にした雲である。燃焼プロセスでは微粒子ができて、大量の高温のガスとともに機体から放たれる。機体を前方へ押しやるこのガスは熱すぎて、水はできないと思うかもしれないが、高高度では気温がかなり低く、排気ガスはすぐ冷える。排出された粒子が核形成の場となって液滴ができ、それが冷凍されてまずは水に、続いて微小な氷の結晶になる。高高度に細長く伸びる飛行機雲が、巻雲に成長することもある。

飛行機雲は大気の状態に応じて、数分で消えることもあれば、数時間持つこともあるのだが、その数から考えて（世界中で日々10万便が飛んでおり、そのどれもが飛行機雲をつくる）、飛行機雲は地球の気候に影響を与えているに違いないと大勢が思うに至っている。常識的に考えると、雲は地球を冷やす。曇った日にビーチにいたことがあれば経験済みだろう。だが、雲は太陽光を宇宙に跳ね返しているだけではない。地上から赤外線としてやってくる熱を捕らえて、地上に跳ね返してもいる。この効果は冬になると特にわかりやすい。空が晴れ渡っているときのほうが曇っているときよりも冷え込むのは、曇っていると、夜に地上から失われる熱が雲によって跳ね返されるからだ。雲には種類（色、密度、大きさなどで分類される）と高さがいろいろあり、それぞれ影響も違う。結局、飛行機雲の地球に及ぼす効果が正味で寒冷化か温暖化かは、科学的に未解決の疑問である。

この疑問について検討するには、飛行機雲のない場合の地球の気候を調べ、平均気温を飛行機雲ありとなしとで比較できなければならない。だが、成層圏のどこかには必ずや飛行機が飛んでいる。夜のアメリカで最終便が着陸する頃、極東やオーストラリアで始発便が飛び始め、そこで最終便が着陸する頃、今度はヨーロッパで始発便が飛び始め、と世界中でひっきりなしに運行されており、いつなんどきでも１００万人以上が空中にいる。記憶に新しいところで唯一の例外は、ニューヨークでツインタワーがテロ攻撃に遭った直後で、２００1年9月11日から3日間、アメリカ全土で飛行機が飛ばなかった。全米４０００箇所の測候所の観測値によると、9月11日の昼夜の気温差は普段よりも平均1℃高かった。もっとも、これは1年のうちの秋という一時期に行われた1回の調査結果にすぎない。あれが冬や春や夏で、雲の量や各地の天気が違っていたら、飛行機雲による正味の影響は気温の上昇ではなく下降だったに違いない。この件に関しては研究が多数行われているが、疑問の解消は簡単ではないだろう。地球の気候は複雑だ。それに、飛行機での移動が世界の文化で重要な地位を占めている現状では、飛行ゼロのシナリオでさらなるデータを集められるとは思えない。それでもなお、地球の気温を人工降雨で制御できるかどうか、できるならそれを通じて気候変動による影響を何かしら緩和できるかどうか、科学界では幅広い議論がなされている。雲をもっと白くして大気圏の反射率を高めれば、太陽放射を管理できるのではないか、と考えている科学者は多い。飛行機雲を意図的につくることは、この仮説の誰でも思いつきそうな検証方法のひとつであり、やるとなると物議を大いに醸しそうだが、秘密裏にもう行われていると思っている向きもいる。彼ら陰謀論者は、飛行機雲には空に留まる時間の長すぎるものがあり、あれほど長くなるのはエアロゾルなどの化学物質で雲がつくられた場合に限られると唱える。なかには、飛行機雲とは国民を化学的手段で心理的に操るために政府が領土に液体をまいている証拠だ、と主張する者さえいる。

水は管理が難しい

こうした陰謀論が付け入っているのは、飲み水を通じて操られたり毒されたりしうる、というまっとうな恐怖だ。こちらのリスクは現実にあって、水道は昔からコミュニティ規模の集団中毒の原因となっている。そうした中毒は今なお発生しており、たとえば2014年というつい最近にも、アメリカはミシガン州のフリント市全体で、水道が行政の不手際によって鉛で汚染された。イエメンでのコレラの大流行は、2016年に始まって翌年には感染者数が100万を突破したが、その原因は浄水供給の破綻だ。集団感染や集団中毒が、作り話の世界で時代を超えてよく使われるモチーフなのも驚きではない。とりわけ有名なのが映画『博士の奇妙な愛情』ではないだろうか。この映画でジャック・D・リッパー将軍は、アメリカで水道水にフッ素が添加されるようになったのは共産主義者による企みであり、その目的はアメリカ人の生活様式をひそかに脅かすことだと決めつけている。「もはや黙って手をこまねいているわけにはいかないのだよ……国際共産主義者の陰謀によって、われわれの貴い体液がすっかり損なわれて汚されるのを」と彼は言い、ソ連への核攻撃命令を撤回しようとしない。

この映画はひょっとすると、一国が核戦争を仕掛ける事情を検討するのに最適なのではと思っているが、それはともかく、水への異物混入が国際紛争の引き金になりうるという目の付けどころは正しい。きれいな飲み水は万人が必要としており、私たちはそれなしでは生きていけない。そこへきて、水に異物が混ざったり水が汚染されたりすれば、死や病気が蔓延する。19世紀のコレラの大流行では何千万という人が命を落としたが、この病気をもたらすのが水を媒介とする細菌だとは当時知られていなかった。

液体というものの例に漏れず、水は管理がとても難しい。湖から川へ、海へ、そして空へと、どこへもいつかはたどり着く。そのため、水質汚染の恐れは相変わらず大きいうえ、大部分の飲み水の出どころである雲から落ちてくる水についても、保護は同様に難しい。雲にとって国境など知ったことではない。そのため、一国の実験、災害、行動が世界中の他国にきわめて直接的な形で影響を及ぼしうるし、実際に及ぼしている。

『博士の異常な愛情』は風刺として制作されたが、体に取り込む何かが汚染されている可能性は現実の疑念や恐怖であり、消えることはおそらく決してない。

「われわれの貴い体液に異物が注入された。当人の知らぬ間に、もちろんほかの選択肢などなしに。それが筋金入りの共産主義者のやり口だ」とリッパー将軍は言う。ここで「共産主義者」を「連邦政府」、「資本主義企業」、「科学者」、さらには「環境保護論者」に置き換えると、ワクチン接種から水の塩素殺菌、果ては発電まで、ありとあらゆる政策に対するたいていの議論の骨子となる。事例は数え切れないほどあるが、酸性雨について見ていこう。

石炭には不純物が硫酸塩や硝酸塩として含まれていることが多く、石炭が燃やされるとそれらが二酸化硫黄や窒素酸化物のガスになる。できたガスは上昇して大気の一部となり、やがて雲をなす水滴に溶け込む。すると水滴が酸性になり、雨という形で地表に戻ると川や湖や土壌を酸性化して、魚や植物の命を奪い、森林を破壊する。また、酸性雨は建物や橋などのインフラを腐食するのだが、被害が発生するのは、石炭を燃やしてできたガスという元となる物質の排出源からたいていかなり離れた場所だ。酸性雨は排出源ではない国に降り、政治問題かつ環境問題となっている。酸性雨の原因は19世紀の産業革命中に特定されていたが、原因物質を主に排出していた西洋諸国が酸性雨と闘うための協力体制を敷いたのは１９８０年代だった。

１９８４年に現ウクライナのチェルノブイリで起こった核災害では、雲によって運ばれるまた別の国際問題が発生した。原発での爆発で放出された放射性元素が風に乗ったことが明らかになったとき、影響を受ける国はその時期の風で決まると誰もが思い知った。イギリスも影響を受けた国のひとつで、イングランドとウェールズの羊農家が割を食った。放射性物質を含む雨が農地に降って、土壌や牧草に留まったのだ。そうした草を羊に食べさせないようにする予防措置が迅速に取られていなかったら、羊も放射性物質で汚染されていたことだろう。汚染地域で育てられた羊に対するこの規制は、食品基準庁によって事故から26年後の２０１２年にようやく解除された。

世界はひとつながりの場所だ。雲とそこからの降雨でつながっているとも言えるが、飛行機での移動でつながっているとも言える。窓から真っ白な外を見ていると、雲が基本的に液体だという認識がしづらくなってくる。雲をなす個々の水滴は、小さすぎて視認できないが、もちろん透明だ。ではなぜ雲は白いのか？

太陽からの光は雲に含まれる数多くの水滴の合間を通り抜けるが、いずれどれかに当たって跳ね返る。日差しが湖の表面に跳ね返るのと同じである。跳ね返った光は向きが変わり、また別の水滴に当たってまた跳ね返る。これが繰り返され、光線はピンボールのようにあちこち跳ね返り続けた末に雲を出る。目に届いたときに見えているのは、最後に跳ね返った水滴からの極細の光だ。同じ雲に当たったほかの光線にも残らず同じことが起こるので、見えているのは雲じゅうから出てきた膨大な数の極細の光である。通る経路が長くなって明るさを失った光もあり、雲のそうした部分は暗めに見える。脳は届いた極細の光をあまさず理解しようとする。脳は普段から、明暗の陰を3次元の物体として、見た目に即した材料特性を持つ物体として解釈している。そのため、雲はものに見える。ときにウールのようなふわふわのものに、ときに宙に浮く山のような密なものに。当然、脳の別の部分はこうしたすべてを否定し、どれも物体でもなんでもなく光のトリックだ、と無意識をつかまえて指摘する。それでも、わかっていても、雲を単なる水滴の集まりと見るのは難しい。

積乱雲はいかに電荷を蓄えるか

空の美しさの大部分は、雲とそこに含まれる水分が生みだしている。水分は私たちの知覚する光に無数のやり方で影響を与えており、世界中で場所が違えば光が何しろ違う主な要因のひとつとなっている。だが、雲をなす微小な水滴の密度が高まると、光が上から下まであちこち跳ね返って抜け出てくるのが難しくなり、雲が暗くなる。その意味するところは誰もが知っている――とくにイギリスでは。これから雨になるのだ。雲の内部に浮かぶ微小な球形の水滴が大きくなりだし、水滴にかかる重力が強まり始める。水滴が微小なほこり程度の大きさしかないときは、浮力と空気の対流が重力よりもはるかに大きな力を及ぼすので、まさにほこりのように宙を漂う。だが、大きくなるにつれて重力が支配的になり、水滴を地球のほうへと下向きに引っ張って雨にする。というのは運が良ければで、運が悪ければ嵐を呼ぶ雲になるかもしれない。毎年1000人単位の命を奪っている雷雲に。

雷雲は特定の条件下でできる。水滴が冷たい空気に触れると、水蒸気が気体から液体に戻る。洗濯ひもに干された濡れた衣服が乾くのとは逆だ。液体に戻る過程で、水蒸気はエネルギーを熱として手放す。この熱を潜熱という。潜熱はH_2O分子がまだ雲の中にいるうちに放たれるので、雲内部の空気が暖まる。ご承知のとおり、暖かい空気は上昇するので、雲の上部が膨らむ。こうしてできるのが、ふわりとした積雲だ。これがすべて、大量の暖かく湿った空気が地上から上昇しているあいだに起こるなら（夏の日に起こりそうなことだ）、雲の水滴を上に押し上げる対流の力がそれなりに強くて、雨を降らせるどころか雲の上部へ送り込むことも考えられる。そうなった場合、水滴は上空数キロにまで達し、水滴を運んでいた空気がそこでようやく冷えて上昇がやむ。大気圏のこの高度になると、雨粒が凍って氷の粒になって再び落ちるが、気候条件によってはさらなる暖気でまた押し上げられることもある。こうなると、雲はさらに大きく高く、ますます暗くなり、積雲から積乱雲に、すなわち雷雲になる。水滴を押し上げる対流は時速100キロに達し、雲は複雑に渦まく活発な状態になる。水滴をさらに運んでくる上昇気流の中を氷の粒が落ちていき、水滴と氷の粒が数キロにわたって激しくぶつかりあう。

科学界はまだ、積乱雲内部の条件と電荷の蓄積とのつながりを解明していない。だが、確かなこととして、地上と同様、荷電粒子が動くと電気が発生する。荷電粒子のもとは原子だ。原子はどれをとっても構造が共通しており、正電荷の粒子である陽子を持つ核を中心に、負電荷の粒子である電子が取り巻いている。ときおり、電子がいくつか自由になって動き回りだす。これが電気の基本だ。風船をウールのセーターでこすると、風船上に帯電した粒子ができる。その風船を頭にかざすと、風船上の電荷が、髪の毛上にあって極性が逆の電荷を引きつけ、髪の毛が反応して動く。負電荷にとっては正電荷との結合が究極の願いであり、その実現を目指して髪の毛を風船のほうへと逆立たせる。電荷の量がさらに増えて、荷電粒子が空気中を飛んでいけるほどのエネルギーが溜まると、火花を飛ばす。

雲の中では風船を穏やかにこするまでもない。水滴と氷の粒があって、どれも膨大なエネルギーを持った状態で激しくぶつかり合っており、氷粒子の一部が雲の上部へ運ばれるうちに正電荷を、雨粒の一部が雲の底へ落ちるうちに負電荷を帯びる。数キロにわたる雲の中で、内部の風をエネルギー源に、正負の電荷が分離されていく。しかし、正負の電荷間にはやはり引力がある。正電荷と負電荷は結合したがっている。これはつまり、雲の中で電圧が高まっているということだ。この電圧が何億ボルトにも達して、空気中の分子から電子を剥ぎ取ることがある。これが起こるときは瞬時に起こり、気象条件に応じて雲と地上とのあいだ、または雲の上部と底部とのあいだで電荷を放つ。この放電の規模はすさまじく、白熱して光る。これが稲妻である。雷鳴は、数万℃にまで熱せられた周囲の空気が急速に膨張するときのソニックブームだ。

稲妻のエネルギーは人間を蒸発させられるほど途方もなく大きく、実際に蒸発させており、そのため死者数が多い。電気は決まって、抵抗が最小の経路を流れる。この点は液体と同じだ。だが、液体が重力場に沿って流れるのに対し、電気は電場に沿って流れる。空気は電気をあまり通さないので、電流に対する抵抗が大きい。一方、人体は大部分が水なのだが、水は電気をよく通す。そのため、雷雲から出てきた稲妻が、地上までの抵抗が最小の経路を探しているとき、人体はえてして最適な通り道となる。稲妻が樹木を好むのは高くて長いからかもしれないが、導電経路になる可能性が高いのは水分を含んだ枝である。そのため、その木の陰に人が逃げ込んできたなら、地上への道のりの最後の最後に人体に飛び移りかねず、実際によくそうする。

世界中どこでも最も高い構造物は概して建物で、西洋では長いこと、どの町や都市でも最も高いのは教会だった。初期の教会の多くで尖塔は木造だったから、雷が落ちると炎に包まれた。幸い、1749年にベンジャミン・フランクリンが、金属の導電体を建物の最高点に配して電線で地上と結べば、それが稲妻にとってほかよりも楽に地上まで行ける経路となり、落雷による被害の多くを防げることに気がついた。こうした導線は今も用いられており、何十万という高層建築を落雷の被害から救い続けている。車内にいると雷から身を守れるのも同じ理屈だ。稲妻が車体に落ちても、電気は金属製の車体の外面を流れる。こちらのほうが、乗っている人を通るよりも抵抗の小さい経路なのである。

ということで、話は機体と雷の危険性に戻る。雷雲の中を通過している機体は、荒れ狂う空気の力で揺れ動き、気圧が変わるたびに唐突に上下する。そんななか、雲の内部で稲妻が走ったなら、機体はまず間違いなく導電経路の一部となるだろう。ご存じのとおり、以前の機体の多くは胴体がアルミ合金製で、車内にいる場合と同様、金属が乗客を稲妻の攻撃から守る。だが、最新型旅客機の材料である炭素繊維複合材料は電気をあまり通さないので（炭素繊維をつなぎとめているエポキシ接着剤も絶縁体だ）、その分の埋め合わせとして、機体用の炭素繊維には複合構造に導電性の金属繊維が混ぜてあり、雷が落ちても電気が機体の表面を通るようにして、乗客に被害が及ぶのを防いでいる。飛行機には雷がよく落ちるのだが（平均年1回）、落雷による飛行機事故はこうしたおかげで50年以上記録されていない。言い換えると、雷をともなう嵐の最中に地上で木陰にいるほうが、機内にいるよりもよほど危ない。この話は離陸前の安全に関する説明には出てこない。飛行機での移動のほうがはるかに安全なのに。だが前にも触れたとおり、あの説明は実は安全に関する説明ではない。

霧のサンフランシスコ

機体が地上にかなり近づいてきた。サンフランシスコ国際空港への着陸に向けて高度が下がり続けているが、低い雲のせいで景色は相変わらずたいして見えない。サンフランシスコ湾周辺は霧が出やすい。霧は雲と同様、空気中に水滴という液体が分散している状態だ。基本的に地表付近の雲である。快適な家の中で暖炉を前にしてブランデーに口をつけながら外を眺めたなら、霧は無害に見える。この街にロマンチックな雰囲気を、怪しげな新しい物事が可能だという感覚を与える。だが、荒野を歩いているとき、高速道路を走っているとき、山の斜面をスキーで滑り降りているとき、あるいは飛行機に乗って毎秒10メートル降下しているとき、霧の意味するところはただひとつ、死の可能性だ。船が海霧に包まれ、視認できなかった岩にぶつかるという事故は、船乗り稼業にとっては昔話ではなく今なお起こりうる恐ろしい現実である。機体にフライバイワイヤーと呼ばれる最新システムが搭載されていないと、霧によって空港は閉鎖され、飛行機は着陸を断念する。霧は怖い。霧は危ない。もしかするとそれで、ハロウィンのような死者の祭は、霧や霞の出やすい時期に行われることが多いのかもしれない。

霧が地表付近にできる理屈は、雲が空にできる理屈と同じだ。水分をたっぷり含んだ空気が冷え、空気中のH_2O分子が液化して微小な水滴をなす。高高度の場合と同じく、水滴ができるためには核形成の場が必要で、昔の都市でそれは料理や暖房に火が使われて出る煙だったが、現代では普通、工場の煙突や自動車から出る排気ガスだ。こうした汚染物質が慢性的に過剰になると、スモッグと呼ばれる濃い霧がかかってしばしば何日も覆い続け、汚染物質を捕らえて都市の上空に留まる。ロンドンの場合、スモッグの記録は1306年にまでさかのぼる。時の国王エドワード1世がこの問題に取り組み、石炭を燃やすことを一時期禁止した。スモッグがひどいと、当時のロンドン市民は自分の顔の前にかざした手が見えなかったという。だが、国王の努力もむなしく、スモッグは何世紀にもわたってロンドンを悩ませ続けた。1952年のいわゆる「大スモッグ」はきわめて深刻で、4日で4000人の命を奪い、政府をイギリスで初となる大気浄化法の制定へと駆り立てた。

サンフランシスコは、しばしば濃い霧に包まれる。その条件は複合的で、太平洋の暖かく湿った空気が同市の上空に運ばれて冷え、自動車の排気ガスを核に凝結して霧になる。機体は今、まさにそうしてできた霧の中を降下している。乗務員も空港もこの気象条件には慣れており、この条件下で安全に着陸する方法を心得ている、と頭ではわかっているのだが、地上へ降下し続けているのに窓の外は薄気味悪く真っ白で、不安がどんどん募ってくる。

「ポーン」という音が鳴り、機長からの業務放送が入る。「フライト・アテンダンツ、プリーズ・プリペアー・フォー・ランディング（客室乗務員は着陸に備えてください）」。安全に最も気を使う瞬間が近づいてきた。これから滑走路に進入する。客室内は静まりかえり、エンジンの低い轟音と空調の風音だけが響く。誰もが同じ不安を抱いているかのようだ。たまに霧がわりと晴れて、樹木や車など、地上の目を引くものがちらりと見えることもあるが、すぐまた白が盛り返す。機体はすっと落ちたり揺れたりし、震えるようなエンジン音が、びくつく私の耳の奥まで入り込んでくる。

高度が下がるにつれて、私の緊張の度合いが増す。飛行機が最も安全な長距離移動手段だと道理としてはわかっているのだが、今回は例外なのではといつも心配になるのだ。外は命を奪うこともある霧に覆われている。乗客は全員シートベルトで椅子に縛り付けられている。乗務員もだが、彼らは無表情に外を眺めている。彼らはこれを週に一度ならず経験している。フライトのこの最終段階と、いったいどう折り合いを付けているのか？　目に見えない、予期しないものに対応する操縦士の技量に全員の命が委ねられているというのに。冷静このうえないスーザンだけは、何とも思っていないようだ。本を置いて、窓の外を穏やかに見つめ、見るからにすっかり確信している。迫りくる地面との激突はつつがなく終わることを。

第12章 溶融……流動する液体の星の上に暮らして

固体なのに液体のような「クリープ」

どすんという音とともに胴体全体が揺れて、1000台の食器棚の戸が閉まるような音を立てる。乗客の体が一斉に前方へ傾き、シートベルトが突っ張る。機長がジェットエンジンの出力を切り、機体は着陸時の時速210キロから110キロ、65キロ、25キロへと減速し、滑走路からゆっくりとはずれる。客室内に安堵の声が響く。拍手している乗客もいる。硬い地面の上に戻ってきた。

と言いながら、硬いという表現は実は適切ではない。惑星として見た地球はとりたてて硬くはないからだ。地球はその生涯を熱い液体ボールとしてスタートしており、1億年かけてそれなりに冷えて、表面に岩石の薄い外皮ができた。それが45億年ほど前のこと。以来、地球は冷え続けているが、内部はまだ流動している。地球内部における液体の流動が、私たちを保護する地球磁場をつくってこの惑星を生かし続けているのだ。一方、その同じ流動性から破壊的な力も生まれており、地震、火山の噴火、構造プレートの沈み込みを引き起こしている。

地球のど真ん中には、硬い何かが確かに存在する。それは鉄とニッケルからなる金属の核で、中心温度は約5000℃である。通常の融点よりも何千度も高いこの温度でも、核の芯〔内核〕は固体だ。地球の中心にかかる途方もない重力の圧力で、液体が強制的に巨大な金属結晶にされているからである。芯の周囲には、融けた金属の層〔外核〕がある。大部分がやはり鉄とニッケルで、厚さは2000キロほど。この内なる金属の海の流れが地球の磁場を生んでいる。この磁場は非常に強力で、地表まで届いて方位磁石を機能させて航海に役立っているばかりか、その先の宇宙空間にまで広がっている。宇宙空間では盾となり、降り注ぐ太陽風や宇宙線から私たちを守るという大役を果たしている。この磁場がなかったなら、太陽風や宇宙線で大気や水が剥ぎ取られ、地球上の生命はすべて命を奪われていたに違いない。惑星科学者の考えるところでは、火星はかつて磁場を失い、そのせいで大気がなく、長いこと冷たい死んだ惑星のままだ。

液体金属の海の外側には岩石の層がある。温度は500〜900℃。マントルである。この赤熱温度の岩石は、秒、時間、日の単位では固体として振る舞うが、月や年の単位では液体のように振る舞い、言ってみれば融けていないのに流れる。この手の流れ方を「クリープ」と言う。岩石質のマントルにおける主な流れは対流だ。液体金属の海に近い高温の岩石は上昇し、地殻に近い冷えた岩石は沈んでいく。鍋の水を熱したときに見られる流れと同様、鍋底のお湯が膨張して上部の冷たい水よりも密度が低くなり、それと入れ替わりに冷たい水が沈んでくる。

マントルの上が地殻だ。地球の皮のような、冷えた岩石からなる比較的薄い層で、厚さは30〜100キロ、この惑星の山、森、川、海、大陸、島などのあれこれで覆われている。機内放送を知らせる音が再び鳴り、その地殻にたった今着陸したことを客室乗務員があらためて伝える。

「ご搭乗の皆様、サンフランシスコ国際空港へようこそ。現地時間は午後3時42分、気温は3℃です。皆様の安全のため、機長がシートベルト着用のサインを消灯するまで、シートベルトを締めたままお座席にてお待ちください」

こんなときは、地上に戻った安堵感から、私たちがその上で暮らしている地殻は安定した固体であり、微動だにせず頼りにできるものだと感じるかもしれない。あいにく、それは違う。地殻は基本的にその下の流体マントル上に浮いているうえ、さらに心もとないことに、構造プレートと呼ばれるいくつかの岩盤に分かれている。マントルの対流の力がプレートをあちこちへ動かし、プレートは互いにぶつかってはゆがむ。大きなプレートが7つあって、大ざっぱに大陸に対応している。たとえば、北アメリカプレートには北米大陸とグリーンランド、そしてそこからユーラシアプレートまでの海底全体が、ユーラシアプレートにはユーラシア大陸の大半が、それぞれ含まれている。プレートはどれも動いているが、動く向きが揃っていないため、プレートどうしが出会う場所である断層線は衝突の場だ。プレートが押し合うとともにせり上がって山ができる。プレートが引き裂かれる場では、下のマントルから溶岩が噴き出てきて新たな地殻が形成される。断層線は、非常に激しい地震の起こる場でもある。

乗り合わせたほかの皆さんはこの危険をご承知に違いない。サンフランシスコのような土地に暮らしていて、知らないはずがあろうか？　この街は北アメリカプレートと太平洋プレートが出会う断層線に位置しており、昔から大地震が多かったし、これからも起こるに違いない。1906年の地震では街の8割が破壊され、3000人以上が命を奪われた。地震は1911年に再び起こったほか、1979年にも、1980年にも、1984年、1989年、2001年、2007年にも起こっている。以上は大地震だけで、そのあいだにも地殻の小規模な揺れが繰り返しあった。サンフランシスコのようなところに住んでいると、地球の流体力学を理解することの重要性がよくわかる。巨大地震が決まった地域で繰り返し起こる理由がわかるし、死活問題として重要なある関連数量を左右する要因の理解につながるからだ。その関連数量とは、海面水位のことである。

北と南、どちらの氷が先に溶ける？

地球の地殻はどろどろの岩石の上に載っているので、たとえば厚さ数キロの氷の重みがかかるとマントルに沈み込む。南極とグリーンランドは現にその状態にあり、ともに厚さ2～3キロの氷で覆われている。氷床の規模を感覚的に掴めるかどうか、イメージしてみよう。南極の氷床は地球表面の淡水の6割を保持している。具体的には、水の体積にして約2600万×1兆リットル、重さにして約2万6000×1兆トンだ。地球温暖化でこの氷がすべて溶けると、海面水位の上昇は50メートルを上回り、世界中の沿岸都市が残らず沈んで億単位の人が家を失う。この話はわかりやすそうだ。わかりにくいのは、氷の重みが南極大陸から取り除かれると、その下の岩盤にかかる力が弱まり、陸の塊が膨らんで盛り上がることである（「後氷期隆起」などと呼ばれる）。グリーンランドも状況は同じで、その下の地殻には氷床として保持されている300万×1兆リットルの水の重みがかかっており、すべて溶ければ北アメリカプレートが隆起する。大陸の隆起が海面の上昇よりも大きければ、大洪水は避けられるかもしれない。起こりそうな成り行きを解き明かすことは、私たちの将来に、特に未来の世代にとって何しろ重要だ。地球温暖化がこれまでどおりますます進むなら、どちらかのシナリオが確実に現実のものとなるのだから。

今わかっていることは次のとおり。すなわち、海面水位の世界平均は、20世紀初頭から20センチ上昇してきた。要因のひとつは、海が温まって海水が熱膨張したことだ。液体は温かいほど体積が増す。グリーンランドと南極を覆う氷床が溶け出していることも要因のひとつで、ほかの氷河も溶け出していることから、この要因による上昇分は増えている。海面水位の上昇は地球規模であり、沿岸部に暮らす誰もに影響を及ぼす。太平洋上の小さな島はすっかり沈むだろうし、大きな国でも、たとえばバングラデシュでは海面水位が1メートル上昇すると国土の2割近くが沈み、3000万人が移住を余儀なくされる。一方、後氷期隆起の影響が及ぶのは、グリーンランドか南極の氷床の重みで沈み込んでいる部分と地続きならぬ地殻続きの沿岸部だけだ。言い換えると、地球の氷が溶けると勝者と敗者が生まれ、すべては北半球のグリーンランドと南半球の南極のどちらの氷が先に溶けるかで決まる。

北半球の氷が先に溶けた場合、グリーンランドが平均海面水位よりも高くまで隆起し、北米大陸もそうなるので、北米大陸では海面水位が当初は下がる。増えた分の水は海洋全体に分散するのに対し、北半球のプレートの隆起は局所的な作用だ。逆に南極の氷がグリーンランドの氷床よりも先に溶けた場合は、南半球のプレートが先に隆起し、北米の東海岸はすっかり海に沈む。

大きな未知数のひとつは、氷がどれほど速く動くかだ。何しろ、大陸から氷が消えるのに溶ける必要はない。氷もクリープしうる。氷河の動きがクリープであり、固体の氷なのに山を流れ下っている。クリープの仕組みは、ねっとりした液体がじわじわ動く仕組みと大差ない。重力が液体内の分子にかかると、分子どうしをつなぎとめている弱い結合の一部が切れ、かかった力に応じた向きに動けるようになる。だが、動く先のスペースも必要で、スペースが見つからなかった場合は、隣り合う分子に圧力をかけて動くよう促す。液体の構造は不揃いに近く、スペースはどこかに空いていて、分子は力に応じて自由に動いて入れ替わり、かくして液体は流れる。同じことは固体でも起こるが、原子や分子には隣とつなぎとめている結合を切るためのエネルギーの持ち合わせがあまりなく、プロセスの進行は圧倒的に遅い。また、固体の構造は整然としているので、原子の動く先となるスペースがなかなか見つからない。固体は流れるのが何とも遅く、だからじりじりのろのろした動きを意味する「クリープ」という言葉が当てられたのだ。固体を高圧下に置いたり、固体の温度を上げたりすることで、クリープを速めることはできる。高温の原子には、既存の結合を切ってどこかの空きスペースへ飛び移るための振動エネルギーが余計にある。地球の気温の上昇につれて氷床で起こっていることがこれだ。海のほうへと引っぱる重力によって、氷の塊全体が流れているのである。

氷河という形をとる氷のクリープは比較的速い。たとえば、2012年の観測によると、グリーンランドの氷河は海へ向かって年16キロの速さで動いていた。こうも速く動いたのは、氷床の温度が−10〜−50℃に達していたからだ。十分冷たいと思うかもしれないが、融点の0℃から10〜50℃しか冷たくない。氷の結晶の内部にあるH_2O分子のエネルギーが、液体の水に変わるために必要な温度からそう遠くない状態にあるのだ。そこへいくと、山をなす岩石の融点は1000〜2000℃で、大きな山の岩石に含まれている原子は温度が融点よりも何千℃も低く、氷河よりもはるかに固体らしく振る舞う。ということで、山は氷河よりもゆっくりクリープするが、とにかくクリープはする。私たちに認識できる距離を流れるのに何百万年もかかるというだけのことだ。地殻の下のほうになると温度は岩石の融点に近づき、そのため構造プレートは山よりも速くクリープする。速さは年1〜10センチである。

大した数字とは思えないかもしれないが、考えてみてほしい。ほかの構造プレートから押されているし、その力が何百キロも続く断層線にわたって働いているのだ。何かが壊れなければおかしい。壊れないなら、1年、また1年と張力がたまっていき、いつか壊れてずれて、ほぼ一気に膨大なエネルギーが放出される。それが地震だ。1906年にサンフランシスコで起こった地震で放出されたエネルギーは原爆約1000発分、2011年に日本を襲った津波を引き起こした地震は約2万5000発分に相当する。放出されるエネルギーがかくも莫大だからこそ、地震による被害は広範に及ぶ。大地震がひとたび起これば、たとえ震源が都市から数百キロ離れていようと、壊滅的な被害がもたされうる。

だが、こうしてエネルギーが蓄積されれば必ず地震が起こるというわけでもない。岩石がクリープした結果、紙を2枚、縁をぴったりつけて並べて寄せたときのように、徐々に盛り上がって圧力を逃がすこともある。こうなるためには途方もない力が要るが、構造プレートがまさにそんな途方もない力を生んでいる。このいや応なしのしわ寄せによって、山ができる。アルプス、ロッキー、ヒマラヤ、アンデスといった地球の大山脈は、どれも構造プレートどうしの出会う場所にあり、何百万年にもわたるクリープによってできた。

あやうく命を落としかけた場所

とはいえ、山のでき方はこれだけではない。もしかすると最も派手で、間違いなく最も速いのは、火山の噴火によるものではないだろうか。地球のはらわたから湧き出てくる赤熱した溶岩を見たことがないなら、一生に一度は見ておいたほうがいい。あれは自然の荘厳さと自分の小ささを大いに思い知らされる光景のひとつだ。どちらを向いても焼けた岩と黒い噴石ばかり。硫黄と煙と灰のにおいが漂い、タイムマシンで地球が誕生した頃に戻ったような気分を味わえる。

活火山をこの目で見た唯一の機会に、私はあやうく命を落としかけた。スペイン語を勉強しにグアテマラに短期滞在していた1992年の夏のことだ。ホームステイをしていたアンティグアという古都は、中央アメリカ火山弧の山がちなジャングル地帯にある。この火山弧は太平洋岸に沿った火山の連なりで、どの火山も造構運動〔さまざまな地質構造をつくる地殻運動〕によってできたものだ。推定では、これらの火山によってここ30万年ほどで70立方キロメートル分の山が積み上げられた。なかでも活発なひとつがパカヤ山で、アンティグアからそう離れておらず、直近では2010年に大きな噴火があった。

アンティグアでの滞在中、市（いち）の立つ広場で火山への裏ツアーが募集されていた。グアテマラ人のホストファミリーからは行くなと警告されていた。1992年当時は山賊や荒くれ者がまだ多く、武器を持たずに田舎へ出向く若くて愚かな観光客をよく襲っていたからだ。だが、私は若くて愚かだったので、ホストファミリーの忠告には耳を貸さず、ある日の午後にそのツアーに参加し、同じく若くて愚かなバックパッカーを満載したトラックに乗って、2人の若いグアテマラ人の案内でジャングルへ向かった。夕方にパカヤ山のふもとに着き、森の中を登り始めた――と言いたいところだが樹木はなかった。パカヤ山は活火山で、断続的に噴火しては噴煙や火山灰を立ち昇らせたり溶岩を大量にまき散らしたりしているからだ。こうした噴出物がかつて山肌を覆っていた森を焼き尽くし破壊していたので、私たちの着いたふもとから上は一面の灰の急斜面で、黒こげの切り株が10メートルほどの間隔で点在していた。ハイキングは、燃えかすで足場の緩いうえに、においのひどい煙が漂う、この黒山を歩くところから始まった。『新約聖書』の「黙示録」の一場面にいるかのようだった。登るにつれて道が急になり、大量の燃えかすで足場が緩くて前進もままならなかったが、熱意と冒険心にあふれていた私たちは、真っ暗になりかけた頃にとうとう頂上にたどり着いた。

まもなくすっかり暗闇になった。ガイドたちは私たちに火口の縁に近い大きな岩の陰で待つよう手で合図すると、そのまま先へ進んでパカヤのご機嫌をうかがいに行った。そして急いで戻ってくると興奮気味に、山は目を覚ましており、溶岩の泡を噴いていると言った。私たちも慎重に先へ進んだ。硫黄のにおいが火口から押し寄せてきた。火口は100~200メートルほど下のようだったが、はっきりとはわからなかった。そしてついに、溶岩が見えた。あのときのことは一生忘れないだろう。この惑星の内部を初めて見ているかのようだった。誰もがじっと動かなかった。ねぐらにいる野生動物を眺めているかのように。とそのとき、ポッという音がした。ガイドが心配し、2人で相談を始めた。ポッという音はその後も繰り返され、ドサッという鈍い音もかすかにした。どうやらパカヤ山は本格的に目を覚ましていたらしく、どろどろの溶岩を宙へ放り上げていた。ドサッというのは溶岩が地面に落ちてきた音だったのだ。あとで知ったことだが、ひとつひとつはおそらく重さ1~2キロほどあった。私たちはヘルメットをかぶっていたわけでも、耐熱服を着ていたわけでも、安全靴を履いていたわけでもなかった（私が履いてい

ヴェスヴィオ山の噴火による犠牲者のひとりの石膏像。

たのは運動靴）。ガイドの言うには、この状況で最善の策はとにかく逃げること。参加者にそれ以上の説得は不要だった。私は必死で逃げた。次のポッの溶岩がこの頭に当たって飛び散るのではと恐れつつ、滑ったり転んだりしながら燃えかすの山をできるだけのスピードで下ったが、そのあいだずっと、背後でポッ、ポッ、ポッという音がしていた。アンティグアへ帰るトラックの中で、ガイドの2人が声を上げて笑っていた。どうやら際どかったらしい。2人が山賊を心配していなかった理由がようやくわかった。山賊も確かに危険だが、最大の危険ではなかったのである。

それでも、壮大な造構作用の観点から見れば、パカヤ山の噴火活動はかわいいものだ。地球最大の火山マウナロアのあるハワイ島は、マウナロアから噴き出たマグマでできている。火山活動の場の大半は海中だ。ハワイ諸島はどれも火山活動でつくられた島で、活動は今も続いており、暮らすにはかなり危険な場所である。大噴火があれば溶岩が上空1キロ近くまで噴き上げられ、息が詰まるほど熱い噴煙が立ち上る。この規模の災害は前代未聞ではない。紀元後79年、イタリアのヴェスヴィオ山が噴火し、古代ローマの都市ポンペイとスタビアを熱い火山灰で覆って、数多くの住民の命をほぼ瞬時に奪った。

1883年には、インドネシアの火山島クラカトアが噴火しており、その爆発音の大きさたるや、何千キロも離れた場所でも記録されたほどだった。爆発規模は原爆1万3000発分と見積もられており、3万人以上の命を奪った。噴火が収まったとき、島の大部分が消えていた。

地球の山々が盛り上がらなかった理由

こうした巨大噴火は過去の話ではなく、あいにくこれからも避けられない。たとえば近頃、日本の南の沖合にある海底火山に溶岩が大量にたまっていることが明らかになっている。溶岩が少しずつ湧き出てきて、海底から600メートルほどの高さのドームができているのだ。この火山帯で7000年以上前に起こった前回の超巨大噴火では、日本列島各地に影響が及んだ。こうした噴火が再び起ころうとしているのかもしれず、そうなれば同じように甚大な被害を日本に及ぼすことは間違いないだろうし、地球の大気圏を火山灰だらけにするだろう。灰は大気圏に何年も留まり、太陽の光を遮って地球全体の気温を下げ、地球全体がいわば冬のようになるだろう。

ところで、考えてみれば奇妙なことだが、火山は何十億年と噴火を繰り返し、造構運動は何十億年と続いているのに、地球の山々はたいして高くない。宇宙から眺めた地球がこのことを歴然と示している。あの高さから見ると、私たちの暮らす惑星はほぼ完璧なビリヤードボールで、大きな突起はない。山脈はどれも、滑らかな天体上のちょっとしたしわでしかないが、高く盛り上がるための時間は何十億年とあった。なぜ盛り上がらなかったのか？　山を絶えず小さくしている作用が２つある。まずは浸食だ。雨や氷や風が、山から小さな粒をこすり取り続けることで、山々を風化させ、すり減らしている。加えて、山は成長するにつれて重くなって、その下の岩盤に圧力をかける。すると、岩盤が長い時間をかけてクリープして流れ、山を地殻の中へ戻す。というわけで、氷床がその重みで南極大陸を押し下げているように、山はその重みでみずからの出どころである構造プレートを押し下げており、成長するほど沈み込みが大きくなる。

当然ながら、客室乗務員は着陸にあたってこの話に一切触れなかったが、動きの絶えない気まぐれな惑星上で暮らすことと折り合いをつけるには、もしかするとそれがいちばんかもしれない。地震発生の背後にあるメカニズムは理解されているが、次の地震がサンフランシスコをいつ襲うのかは誰にも予測がつかないからだ。今日かもしれない、と思いながらスーザンのほうを見る。彼女は心配していないようだ。私たちと同様、目を背けて生きているのだろう。この薄っぺらな地殻の上で幸せに生きていくのに、ほかにどうすればいいというのだ？　表面を地殻で覆われたどろどろの惑星が生みだす力は、想像を絶するほど大きい。何億年とかけて山をつくり、都市をまるごとものの数分で壊滅させるほど。はらわたを噴き出して新しい島をつくり、すでにある島を飲み込むほど。大陸全体が氷の重みで沈む事態を招くほど。その氷は溶け出して海面水位を上昇させて、どこの沿岸都市にとっても容赦ない脅威となっており、サンフランシスコもその例外ではない。そして、こうした力が将来なくなることはない。どれも地球が流動する液体の星だからこその力だからだ。私たちが文明として、種として生き残るには、こうした力と共存する術を身に付けなければならない。

スーザンはまさにそれを実践しており、スマホのカメラ映像を見ながら口紅を塗っている。彼女の流儀が好きだ。私はいまだに、彼女が何者で、何の用でこの便に乗り、どこへ行くのかを知らない。確かなことがひとつある。名前が本当にスーザンであることだ。税関申告書にそう書かれていた。私のボールペンを使って。そのペンを持ったまま、彼女は機を逃さず通路に出ると、頭上の棚から流れるような動作で荷物を取り出し、出口へ向かう。機内では、楽観的な最後のあいさつが流れる。

「当便をご利用いただき、誠にありがとうございました。当エアラインおよび乗務員一同に成り代わり、お礼申し上げますとともに、またのご搭乗をお待ち申し上げております。それではごきげんよう！」

第13章 持続：都市を自己修復するテクノロジー

道路の寿命を延ばすには？

流動する惑星の上で生きている私たちにとって、ひとつ確かことがある。変化だ。海面水位は上昇している。地球のマントルは流れて大陸を動かしている。火山は噴火して、大地を新たにつくったり前からある大地を壊したりしている。ハリケーンや台風や津波が沿岸を繰り返し襲い、都市をがれきに変える。こうした未来を前にすると、家屋、道路、水道、発電所、そしてもちろん空港を、というか、尊厳のある文明的な生活を送るために私たちが頼りにしている何もかもを、被害に耐えられるようにつくることだけが合理的に思える。どれも地震や洪水に耐えられるほど強靭でなければならない。それはそのとおりなのだが、インフラを自己修復するように設計して、環境変化に対する都市の融通性や回復力を高められたらなおいいはずだ。現実離れした話に聞こえるかもしれないが、実際には生体システムがもう何十億年と実践している。樹木な

クイーンズランド大学のピッチドロップ実験（撮影は7滴めが落ちて2年後、8滴めが落ちる10年前の1990年）。

ら、嵐で傷んでも新しい枝を生やして自己修復できるし、私たちにしても、切り傷を負った皮膚は自然と治る。都市も自己修復できるようになれるだろうか？

1927年、オーストラリアのクイーンズランド大学教授トーマス・パーネルが、真っ黒なアスファルト〔土瀝青（ピッチとも呼ばれる）〕を漏斗に入れておいたらどうなるかを観察する実験を始めた。どうなったかというと、アスファルトは何日たっても固体のように振る舞い、入れられた場所に留まっていたが、何ヵ月、何年と経つうちに、クリープして液体のように振る舞いだした。そしてなんと、漏斗から流れ出て滴をつくりだした。1滴めが落ちたのが1938年、2滴めは1947年に落ち、3滴めは1954年に、という具合に9滴めが2014年に落ちている。驚きの挙動を見せるアスファルトという材料は、車でその上を走っているときはとても固いものに思える。舗装用に使われるのはアスファルト混合物だが、アスファルトに砕石・砂などを混ぜただけのものだ。いったい何が起こっているのか？

アスファルトは、材料科学者も含めて誰もが当初思っていたよりもはるかに興味深い材料である。地中から掘り出されたり原油の副産物として精製されたりしたときには、面白みのない黒いスラッジ（汚泥）でしかなさそうに見える。だが実際には炭化水素分子からなるダイナミックな混合物であり、生物の分子機構が分解したものから何億年もかけてつくられたものだ。この分解生成物は複合分子で、もはや生体システムの一部ではないのに、アスファルト内部で自己組織化して相互結合構造の集合をなす。常温において、アスファルト内部の小さめの分子には内部構造のなかを動き回れるだけのエネルギーがあり、おかげでこの材料には流動性がもたらされる。ということで、アスファルトは液体だが、粘性は極端に高くてピーナッツバターの20億倍もある。だからパーネル教授のアスファルトは漏斗から垂れるのにあれほど時間がかかっている。

アスファルト特有のあの鼻につんとくるにおいの元は、きついにおいの有機物と結び付けられることの多い元素である硫黄を含む分子だ（硫黄は単体では無臭）。道路に新しい舗装を敷いている作業員の脇を歩いたり車で通ったりすると、アスファルトを熱しているのが目と鼻からわかるものだ。アスファルトを熱すると、動くためのエネルギーがアスファルトの分子に与えられ、よって流れる。だが、エネルギーが与えられたおかげで蒸発して空気中に散っていく分子も増え、そのせいでますますにおうようになる。飲み物を熱すると香りが立つのとまさに同じだ。

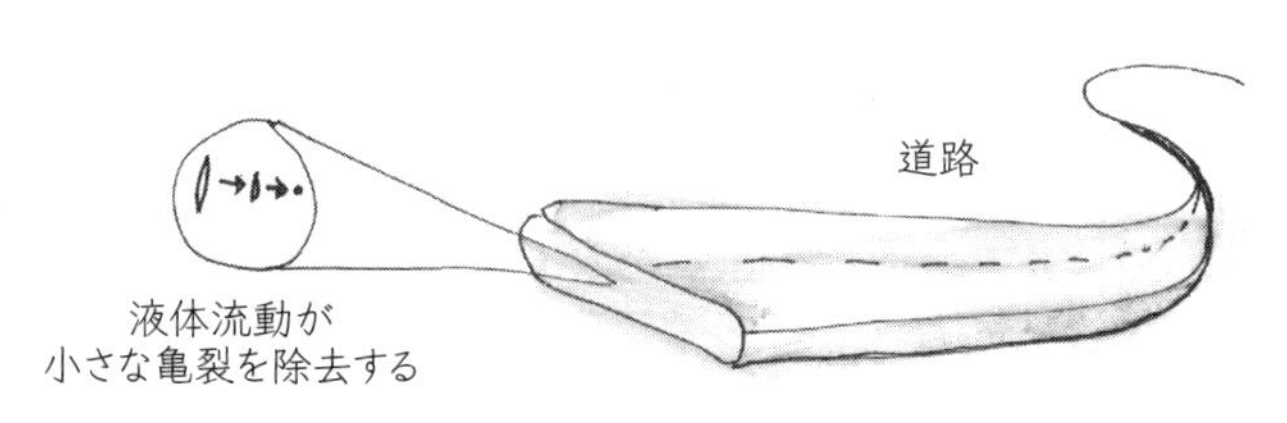

アスファルト道路の内部で液体が流れて亀裂が自己修復される。

悪臭漂わせる液体など、道路をつくる材料としては馬鹿げた選択に思えるかもしれないが、作業員はアスファルトに砕石を加えて、なかば液体、なかば固体という複合材料にしている。実はピーナッツバターも似た構造をしており、ピーナッツバターの場合はピーナッツを挽いてつくった大量の粉が油でまとまっている。加えられた石の強さと固さが、アスファルトの上を走る車の重量を支えていると同時に、むき出しであることによる損傷に道路が抗えるようにしているのだ。道路にかかる力があまりに大きいと亀裂が生じることもあるが、生じる場所は石とそれらをつなぎとめているアスファルトとのあいだである。ここに、アスファルトの液体としての性質が救いの手を差し伸べる。アスファルトが流れ込んで亀裂を再び塞ぐので、道路は自己修復し、表面が単なる固体だった場合には考えられないほど長持ちするようになる。

もちろん、あなたも道路を利用している身として、自己修復しているといっても限度があることにはお気づきだろう。道路もいずれ古くなって傷みだす。温度もその一因だ。温度がたとえば20℃を下回ると液体アスファルトの粘性が高まり、亀裂ができても再び流れて修復することができない。ほかにも、時間が経つにつれて空気中の酸素がアスファルト表面の分子と反応して特性を変化させ、やはり粘性を高めて亀裂を塞ぐ力を奪っていく。人間の場合は老化に伴い皮膚の乾燥が進んで柔らかさが失われていくが、アスファルトもそれと同じで、時間が経つうちに路面の色が変わったり流れにくくなったりする。そうなると小さなくぼみができ、対処を怠ればしだいに大きくなって、ついには路面がすっかり傷む。

その結果どうなるか？ 空港からシャトルバスでホテルへ向かっている今の私が格好の例と言える。サンフランシスコの市内に入った途端、バスが渋滞に巻き込まれたのだ。原因は、道路を舗装し直すのに車線が一部閉鎖されたこと。バスがのろのろ進む道が、3車線から1車線に狭まっていく。きっと30分で1キロ半も進んでいない。私の体内時計によれば時刻は午前2時。疲れたし、とにかく小用を足したい。

こんなことにならなくても済むはずだ。というか、少なくともわれわれ材料科学者は済むようにしたいと思っている。科学者や工学研究者が世界中で、道路の寿命を延ばすための、ひいては渋滞を減らすための方策を熱心に検討している。オランダでは工学研究者のグループが、鋼鉄の微小繊維をアスファルトに混ぜることによる効果を調べている。混ぜても道路の機械的特性はあまり変わらないが、機能は強化される。この材料に交番磁界をかけると、鋼繊維に電流が流れ、その温度が上がる。すると、熱くなった鋼鉄がアスファルトを熱し、その部分の流動性が高まって流れ、亀裂があっても塞ぐことができる。基本的に、アスファルトの自己修復機能が強化されるうえ、冬の低温への対策にもなる。オランダでは現在、走りながら道路に磁界をかける特殊車両を使い、高速道路の一部区間でこの技法を試験中だ。将来的には、このような装置をどの車両にも取り付けられるようにして、道路を走る誰もが道路の蘇生にも一役買うようにしようと目論まれている。

アスファルトの流動性が自然に失われることへの対策には、失われた揮発性成分、すなわちアスファルトが流れるようにする分子を補充するという手もある。路面に特殊なクリームを塗るのが最も簡単なやり方だ。それは基本的に保湿クリームで、まさに人間が肌に塗っているものに当たる。この考え方を練り上げたバージョンが、アルバロ・ガルシア博士率いるノッティンガム大学のチームによって試験中だ。彼らはアスファルトにヒマワリ油の微小カプセルを混ぜている。無傷のカプセルは、アスファルトに亀裂ができると壊れて油を放つ。放たれた油が周りのアスファルトの流動性を高めて、流れて自己修復する機能の発揮を促す。彼らの研究によると、亀裂の入ったアスファルト試料はヒマワリ油が放たれてから2日後に元の強度を取り戻した。この成果は大きい。推定では、この機能を用いると道路の寿命がわずかなコスト増で12年から16年に延びる。

アスファルトの3Dプリンティング

インスティテュート・オブ・メイキングの私たちの研究グループでは、亀裂が大きくなったあ

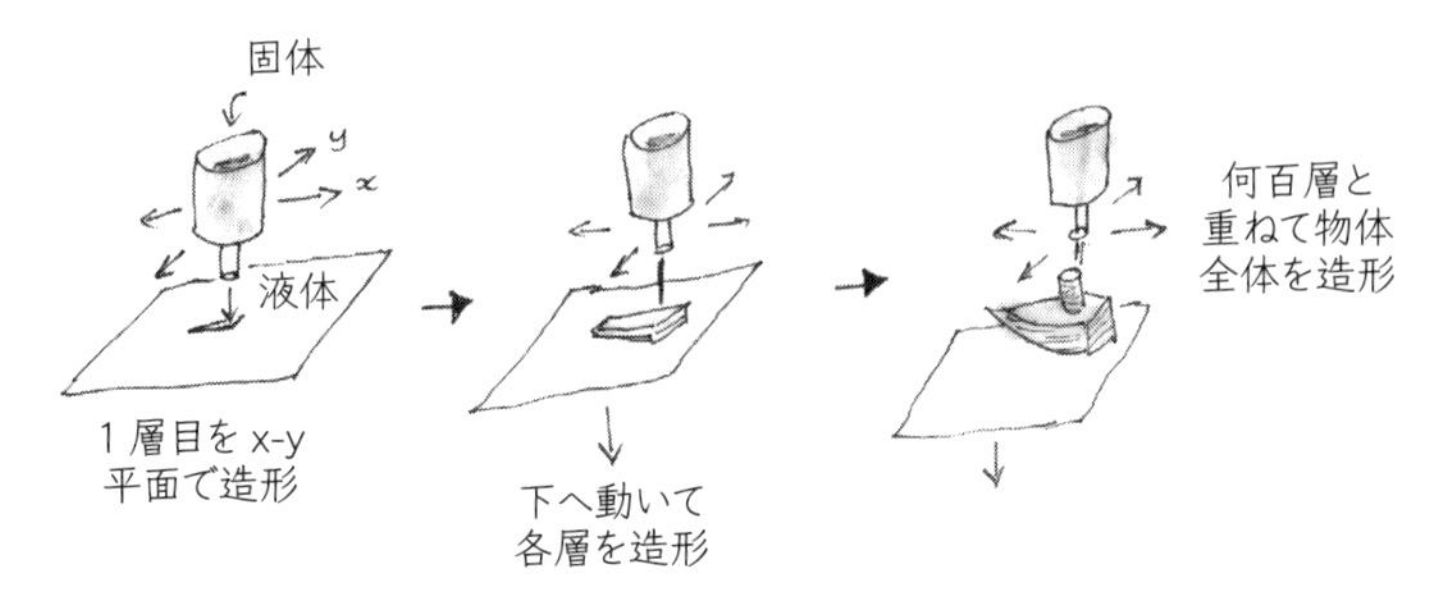

3D プリンターによる造形プロセス。プリントヘッドが（一般に加熱によって）固体を液化し、それを事前に定めたパターンに従って x-y 平面に押し出す。冷えると単一の固体層ができる。すると昇降台が下がり、次の層が別のパターンに従って造形される。こうして何百層と造形して全体を仕上げる。

とのアスファルトを効率良く修復できるようにするためのテクノロジーに取り組んでいる。私たちが始めたのは、アスファルトの３Ｄプリンティングだ。

３Ｄプリンティングは、ものをつくったり直したりする技法としては比較的新しい。プリンティング、すなわち印刷は、千数百年前の中国において木版でインクを紙に転写する手法として発明された。それが世界中に広まり、改良が重ねられて、本と新聞と雑誌の世界がもたらされた。一種の情報革命である。だが、これらはすべて２Ｄプリンティングであり、３Ｄプリンティングはその１段上を行く。用紙に液体インクの薄い2次元の層を載せる普通の印刷とは違い、３Ｄプリンティングでは液体の2次元の層を多数積み重ねられる。ある層を載せ、乾いたら次の層を載せ、という作業を繰り返して最後には３次元の物体に仕上げる。

当然ながら、３Ｄプリンティングでインクを使う必要はなく、液体から固体に変わるならどんな素材でもいけ

ハチは人類が3Dプリンティングを思いつくはるか以前から、巣づくりにこの技法を用いていた。

る。ミツバチを見るといい。ミツバチによる見事な六角形のハチの巣づくりはまさに3Dプリンティングだ。生後12〜20日の働きバチは、蜜を柔らかいロウ片に変える特殊な腺を発達させる。このロウ片を噛み砕いては1層ずつ置いていくことで巣をつくるのである。アシナガバチやスズメバチも同じようなやり方で巣づくりをしており、樹木の繊維を噛み砕いて唾液と混ぜて、幼虫用の紙の家をつくっている。

人類の3Dプリンティング技術は、今やハチと肩を並べている。たとえば、プラスチックをプリンターから押し出して1層ずつ重ねることで、ハチの巣よりも複雑な固体物もつくれる。物体を可動部品込みで造形することさえでき、医療の現場ではこの技を使って、機能する関節を持つ一体型の補綴具を低コストでつくっている。3Dプリンティングは生体材料の造形にも使える。2018年には中国の科学者が、先天性小耳症に悩む子供の代替耳をつくるという初の臨床試験を行った。本人の細胞組織を用意し、その細胞が耳に成長するための足場を3Dプリンターでつくったのだった。

3Dプリンティングは金属でも可能だ。オランダの企業MX3Dは鋼鉄製の橋づくりに3Dプリンティングを用いており、溶接技術から採り入れた技法で、融けた鋼鉄を1滴ずつ付け加えていく。金属体の造形法としては、高出力レーザーで金属粉を溶かして結合するという手もあり、金の宝飾品からジェットエンジン部品まで、何をつくるのにも用いられている。大きな利点のひとつが、中空の物体を簡単につくれることだ。中空にすると軽くなるし、材料の節約にもなる。特筆すべきこととして、冷却剤や潤滑剤、さらには燃料も中に流せるように、配管付きで設計されるものが増えている。これは本質的に、人体をまねた設計と言えよう。私たちはなかば固体の肉、なかば液体だ。血液は循環器系と血管系を通じて栄養分を運んでいるほか、皮膚、脳、肝臓、腎臓、心臓などに損なわれた細胞ができたときに、タンパク質などの分子成分を傷ついた箇所へ運んで、その代わりとなる細胞を新たに成長させられるようにもしている。これも3Dプリンティングのおかげで真似できるようになった自然の一面だ。自己修復機能によって長持ちになり、ひいては持続可能性が高まるテクノロジーを実現させる。そんな可能性を3Dプリンティングは秘めている。

ウォーターフットプリントを減らすために

液体の循環に頼っている人体は、当然の副産物として廃物をつくるが、廃物はつくるだけではなく外へ出すことも必要だ。サンフランシスコ市内のホテルの前でシャトルバスから下りて、私の心に真っ先に浮かんだのが、わが身からいくらか液体を出すこと。相変わらず小用を足したくて仕方がない。足をずっともぞもぞさせながらチェックインを済ませ、あてがわれた部屋へ急行し、あやうく漏らしそうになりながらドアのスロットにカードキーを通しても開かず、もう1回通しても開かずあせったが、ようやく開いて、部屋に入って、ああ、助かった!

部屋直結のバスルームがもたらす大いなる喜びは、いつでも用を足せるというレベルをはるかに超えている。そこは私たちが身なりを整えに、気分を一新しに、贅沢な気分にひたりに行くところだ。そしてどれも、きれいな水を好きなだけ流せることが前提となっている。先進国に暮らす人の大半は、流せて当たり前と思っている。上水を供給し下水を排出するためのインフラがほぼすべて外からは見えないからだ。だが、都市に欠かせないネットワークとして確かに存在しており、水の豊富なサンフランシスコのような都市でさえ、その事業運営には驚くほど費用がかっている。廃水を逃さず集めて浄化し、排出しても川や海が汚染されないようにするには、ろ過装置、沈殿槽、再処理装置がいくつも必要だ。このどれにもお金とエネルギーがかかる。廃水による生態系の汚染を抑えようとするほどコストがかかるし、再処理工場から何が出てくるにしろ、それを薄めるのにまた水が要る。そのため、サンフランシスコのような規模の都市で食洗機、洗濯機、シャワー、風呂、トイレからの廃水を処理することは容易ではない。飲み水もどこかから調達して供給する必要があって、そのためにはさらなるろ過と送水と監視が必要となる。きれいにされて汚れてまた戻ってくる、というループを水が巡るたび、エネルギーが使われるし、廃棄物の生成という形で環境に影響が及ぶ。

製造でも水が大量に使用されることから、たいていの物を買うと各人のいわゆる「ウォーターフットプリント〔モノやサービスを消費する過程で使われた水の総量〕」が増える。シャワーを週2回しか浴びず、節水トイレを使っている人でも、ウォーターフットプリントはかなりのはずだ。推定によると、買って使うのが一度きりという商品に関する平均的なアメリカ人のウォーターフットプリントは1日当たり2650リットルほどで、その要因は肉、紙、繊維といった、生産に水を大量に使う物品だ。ハンバーガーを食べる、新聞を読む、Tシャツを買うといった日常的な行動が、その人のウォーターフットプリントを大きく押し上げる。水は貴重な資源だからタオルの交換を毎日求めるのは控えてほしい、という旨の表示がホテルのバスルームに掲げられているのも、こうした理由があってのことだ。

世界人口はこの先数十年で100億を超えると見込まれており、世界各地で浄水の確保がますます難しくなると予想されている。現在、浄水の手に入らない人の数が10億にのぼっているほか、世界人口の3分の1が年間を通して水不足に悩まされている。浄水が手に入らなくなると、貧困、栄養不足、病気の蔓延が助長されかねない。これは田舎のコミュニティだけの問題ではなく大都市の問題でもあることを強調したい。たとえば、ブラジルのサンパウロでは2015年、日照り続きで同市最大の貯水池が枯渇して深刻な水不足に直面し、最悪の段階では人口

2170万の同市に水があと20日分しか残されていなかった。世界各地の大都市も、気候変動と人口増、そして富の増加に伴う1人当たりのウォーターフットプリントの増大のせいで、似たような問題を抱えている。

持続可能なプラスチック液化

誰もが水に頼っているのは明らかとして、私たちは持続可能で健全な社会のためにほかの液体にも頼っている。なかには意外な液体もあって、たとえば、液体の性質も持つガラス〔ガラスは液体と固体の中間状態にある〕がそうだ。ガラスに入って保存されたり運ばれたりしている食品や飲料は多い。こうした用途向けとして、ガラスは実に優れている。化学的に不活性なので、ガラス製の瓶や器が内容物と反応せず、おかげで品物が長持ちするのだ。だが、ガラスは割れるものであり、割れた場合、別の容器に作り直すには、融かして液体に戻さないといけない。これは何千年と続いている営みだ。廃物を再利用できるようにする循環型のシステムである。

食品や飲料の容器に使う材料としてのガラスには、欠点もある。密度が高いので、国際的な輸送には大量のエネルギーが要る。また、融点が高いので、融かし直すのにも大量のエネルギーが要る。この2つの要因によって、主な動力源が化石燃料である世界では、ガラスの容器は気候変動による問題を結局は悪化させる。

そのため、容器包装は20世紀のうちにプラスチックへと移り変わった。プラスチックはガラスよりも軽くて柔軟性があり、融かして新たなパッケージに仕立てるためのエネルギーがかなり少なくて済む。理論上はそうなのだが、現実はまったく違う。パッケージ用にこれまで開発されたプラスチックはそれこそ多種多様で、それぞれ食品、液体、電子機器などの保持と収容に驚くばかりの能力を発揮する。ところが、そうしたプラスチックをすべて集め、リサイクルすべく一緒に融かしたらどうなるかについて、誰もよく考えていなかった。混ぜて融かしてできるプラスチックは質が悪く、元のプラスチックがしていた仕事は務まらない。というのも、典型的なプラスチックをなす個々の炭化水素分子は、決まったやり方で互いに化学結合する。この結合によってプラスチック内部に所定の構造ができ、それが強度や弾性や透明度を決めている。そのため、種類の異なるプラスチックを一緒に融かしても、めちゃくちゃなものしかできない。だから、再利用のためには細かい分別が必要となる。ところが、一般的に用いられているプラスチックは200種以上あるうえ、包装に2〜3種類が使われている品物が市場にはいくらでもあり、色も多彩なので、プラスチックの分別という作業には費用がかかる。持続可能なシステムをつくれるようにプラスチックを液化する方法は、まだ見つかっていない。

悲しいかな、世界的に見て、プラスチック製の容器包装は大半がリサイクルされておらず、そのせいで環境災害がじわじわと引き起こされている。埋め立て地がプラスチックであふれているところへ、プラスチックの容器包装はそもそも軽量設計なので、たやすく風に飛ばされる。プラスチックは浮くので、川に落ちると最終的に海に流れ込んで、生態系を汚染する。この状況が加速しており、今のペースでいくと、２０５０年の海には魚の重量よりもプラスチックの重量のほうが多くなると推測されている。

プラスチック製容器包装の問題には簡単な答えがない。ガラスを使うにしても、先ほど触れたとおり、エネルギーが大量に必要だが、このエネルギー使用は、その出どころが再生可能なエネルギー源でない限りは持続不可能だ。代替資源として紙も考えられるが、紙の生産にはエネルギーと水がプラスチックよりもかかる。容器包装の使用を減らすというのは魅力的な選択肢だ。とはいえ、ほとんどの農業活動や工業活動で水が大量に使われており、包装容器を減らした分、別の理由で廃棄物が増えるなら、全体として水や食品の供給を世界中で逼迫させる事態にいともも簡単につながりかねない。こうして、液体に頼る物事はえてしてそうだが、持続可能な容器包装システムの問題は振り出しに戻る。

そうしたわけで、８０００キロの距離を飛んで参加しに来た、持続可能なテクノロジーに関する今回の会議に、私は大いに期待している。都市の自己修復とアスファルトの３Ｄプリンティングに関する私たちの研究は、参加者の興味をかき立てるだろうか？　それとも、海水の脱塩や持続可能な容器包装を安上がりに実現する技法が議論の焦点となるのだろうか？　いずれにしても、これからは液体の振る舞いについての理解が重要になるだろう。腕時計に目をやる。会議のオープニングトークがもうじき始まる。時差ぼけを追い払うために顔を洗ってから、下の階の会議場へ向かう。

会場に入ると、想像だにしなかった光景が目に飛び込んでくる。スーザンが壇上を歩いているではないか。顔から目玉が飛び出しそうになる。11時間隣に座っていたおかげで今ではよく見知っている彼女は工学研究者だった。それもただの工学研究者ではなく、私がわざわざ地球を半周飛んで参加しに来たまさにその会議の基調講演者のひとりだった。地球の持続可能性に絡んで私たちが直面している複雑な課題を、彼女は幅広い観点から見事に語っている。だが、機内で彼女に話しかけなかった自分に腹が立ち、話に集中できない。

講演が終わり、スーザンに声をかけずにいられなくなる。列に並んで待たされるほど大勢の相手を、彼女は辛抱強く務めている。とうとう番が来たので、笑みを浮かべ、クールさを装う。「いいお話しでした」。私を見た彼女が、自分はなぜこの人を知っているのかと一瞬考え、はたと思い当たる。「ペンを取り返しにいらしたんですね」

おわりに　人類の未来と液体の力

ロンドンからサンフランシスコまでのこの旅物語でお伝えしたかったのは、ケロシンからコーヒーまで、エポキシから液晶まで、多種多様な液体を私たちが理解して御しているからこそ、旅客機でのフライトが、それも快適なフライトが実現しているということだ。触れなかった液体も多々あるが、網羅するつもりはなかった。心がけたのは、私たちと液体との関係を描き出すことである。私たちは何千年と、この魅力的で卑劣、新鮮でどろどろ、生命の源で爆発物、美味で毒、という物質状態の理解に努めてきた。今のところは、液体の持てる力をかなり利用しつつ、その危険から身を守っている（津波や海面水位の上昇についてはともかく）。これからもこれまで同様、液体は暮らしのあちこちに顔を出すと思うが、液体との関係は深まるだろう。

医療の分野から例をひとつ。医学検査には血液か唾液の試料が要り、医師は検査の結果をもとに病気を診断したり健康状態を観察したりする。だが、検査はほぼ例外なく専門の施設で行う必要があるし、時間もお金もかかる。また、医療機関へ出向く必要があるが、それはいつでもできることではないし、医療資源の乏しい国では非常に難しい。ところが、ラボオンチップと呼ばれる新テクノロジーがこの状況をすっかり変えそうだ。ラボオンチップは、診断を自宅でほぼ一瞬で安上がりにできる未来の到来を告げている。

ラボオンチップテクノロジーでは、自分の体液の試料を少しばかり採取し、生化学組成を調べるための小型装置に入れる。すると、シリコンベースのマイクロチップがデジタル情報を処理するのとまさに同じ意味で、チップが体液を処理する。血液なり、何かほかの体液なりが、内部にずらりと並ぶ微小な管へと導かれ、これらの管によって少しずつあちこちへ振り分けられて各種分析にかかる。開発はまだ初期段階だが、これからどんどん耳にするようになるだろうから、覚えておいてほしい。心臓病から感染症や初期のがんまで何でも診断できる可能性があり、IT革命ばりの医療技術革命の最前線に躍り出るに違いない——が、今回の革命が遂げられるかどうかはまだ流動的だ。

ラボオンチップテクノロジーを機能させるには、小さな液滴を思いどおりに動かせる仕組みが要る。生物はこの道の大家だ。雨の中、庭に出れば、葉が雨を実にうまくはじいて雨粒を跳ね飛ばしている様子を目にするだろう。たとえば、スイレンの葉が水を非常によくはじくことは昔から知られていたが、なぜそうなのかは誰も知らなかった。それが近年、電子顕微鏡によって、表面の奇妙な様子が明らかになった。水をはじくロウのような素材で葉が覆われていたのは予想どおりだったのだが、驚くべきことに、その素材が表面に微小な突起という形で無数に並んでいた。このつるつるの表面に載った水滴は、葉の表面とのあいだの表面張力が高いことから、接触

モロクトカゲは疎水性の素材と毛細管流動を用いて皮膚から水を集める。

面積をできるだけ小さくしようとする。スイレンの葉にある突起は、このつるつるの部分の面積を劇的に広げており、雨粒は突起の先端に危ういバランスで載らざるをえなくなる。水滴は動きやすくなって、葉の上をするりと滑っていき、その途中で微小なちりの粒子を集めて、小さな電気掃除機のごとくきれいにしていく。これこそ、スイレンが葉をきれいにぴかぴかに保っている秘訣である。

素材を超疎水性〔水となじまない性質〕にするための表面加工は、これからビッグビジネスになるに違いない。実現すれば、水滴をラボオンチップテクノロジーの内部機構へ誘導できるようになるのはもちろん、ほかにも山ほどいろいろなことができるようになる。たとえば、窓に水滴が留まらないようにすることで、窓をスイレンの葉のごとくきれいに保てるようになるだろう。また、服の表面を流れ落ちる水を集めて微小な管で収集ポーチへ導き、あとで飲めるようにする防水服を開発できるかもしれない。この設計の発想の元であるモロクトカゲは、皮膚に落ちてきた雨水を集めて水分補給するのに、雨粒を毛細管流動で微小な通り道に誘導している。

浄水の安定供給のない何億という人々にとって、こうした集水テクノロジーがもたらしうる恩恵は計り知れないが、水を安上がりにろ過する技もマスターできればなお良い。こちらの可能性を秘めた新素材のひとつに酸化グラフェンがある。酸化グラフェンは炭素と酸素の原子が2次元の単層状に並んだものだ。膜なので、大半の化学分子に対してバリア層として振る舞うが、水分子は簡単に通す。分子のふるいと言えるだろう。海水を飲み水にすることさえ可能な、きわめて効果的で安上がりな水フィルターの実現が期待される。

ご存じのように、水は生命の源となる物質である。そして、地球上の生命は液体の水が存在するおかげで、きわめて基本的な化学構造から私たちをなしているような複雑な細胞にまで進化できた、というのが定説だ。だが、これはまだ仮説であり、具体的にどう進化してきたのか、確かなところはまったくわかっていない。世界中の科学者がその解明を目指して、40億年前の地球上に生命が現れたときの化学的条件を再現するというアプローチで実験を行っている。現時点で最もそれらしい説によると、生命誕生の場は深海の底だ。そこでは熱水噴出口が複雑な化学スープをつくっており、その成分の多くが私たちの細胞内にも見られる。21世紀が進むにつれて、深海の海底の研究、さらには深海全般の研究が、私たちにとって重要な最先端分野となるだろう。何とも妙な話なのだが、この星の海底に関する私たちの知識は月面に関する知識よりも少ない。

次なる物理的なフロンティアを深海だとするなら、思うに、情報処理のフロンティアが目の前に2つ控えており、そのどちらも液体に依存している。細胞とコンピューターはどちらも情報を処理するが、そのやり方はまったく違う。細胞は機能したり増殖したりするために、DNAに格納された情報を化学反応で処理する。一方、シリコンベースのコンピューターは情報をチップから読み取る。チップを構成しているのは何億個という固体のトランジスターで、コンピュータープログラムから変換された入力電気信号に反応する。信号のやり取りには、1と0の羅列というデジタルコンピューターの2進言語が用いられる。トランジスターはこの1と0の流れに論理を当てはめ、演算によってやはり1と0からなる答えを出し、それをコンピューターチップの別の場所へ移す。どの処理も単純このうえなさそうだが、単純な演算を毎秒何十億回とこなすことで、チェスのグランドマスターを負かしたり、月までのロケット軌道を計算したり、と高度な処理が可能になる。

細胞が何か演算をする場合は、トランジスターではなく化学反応を用いる。演算に使うのは1と0ではなく分子で、やり取りに使うのも分子である。細胞内にトランジスターや配線はなく、あるのは液体という状態における化学反応ばかりだ。その反応が猛烈な速さで、同時進行的に、細胞内全体で起こることから、並列コンピューティングともいえるこのシステムの効率は非常に高い。また、反応に絡む分子はどれもきわめて小さい。わずか1滴に含まれる分子の数は10垓(がい)(1,000,000,000,000,000,000,000)個を軽く超え、途方もない演算・記憶資源となりうる。

科学界ではこのプロセスを真似ようと、DNAを使った液体コンピューターがつくられている。この研究は急速に発展しており、なかでも、試験管内でＤＮＡを操作して演算を行う手法の精度が向上して、実際に使えるようになっている。２０１３年には画期的な成果が上がった。デジタル写真のデータを液体に保存し、再び取り出すことができたのだ。この成果は、情報処理のまったく新たなパラダイムへの扉を開いた。将来、自分のデータを1滴の液体にすっかり保存できるようになるかもしれない。

現在開発中の驚くべき情報処理システムの1つめがこの液体コンピューティングで、2つめは量子コンピューティングだ。こちらでは、二進数の1と0の量子バージョンを用い、情報は演算が完了するまで「1」と「0」の両方としてコンピューターに格納される。量子コンピューティングで利用している量子力学のルールによると、ひとつの事象に対して考えられるすべての成り行きが同時に存在できる。したがって、問題に対して可能な答えをすべて一度に計算でき、そのため処理が途方もなく高速になる。これを実現しているマシンはすでにあるが、性能はまだまだ初歩的だ。ひとつ確かなことがある。量子コンピューターは超低温でないと稼動しないのだが、そこまで冷やすには液体ヘリウムという非常に特殊な液体の助けが要る。

ヘリウムは−269℃に冷やされるまでは気体で、絶対零度のわずか4・15℃上というこの温度になって、液体になる。幸い、液体ヘリウムの扱いは、医療機器のおかげですでに掴めている。頭、臀部、膝、踵にけがをしたり、がんと診断されたりしたことがあれば、ＭＲＩスキャンを受けたことがおありだろう。だが、超低温の液体ヘリウムがなければ、現代の病院に欠かせないこの診断装置はどうあがいても稼動しない。液体ヘリウムが実現する低温のおかげで、ＭＲＩ装置は人体内部の磁場に起こったわずかな変化を確実に検出して、体内の臓器を映し出せるのだ。だが、ヘリウムは宇宙ではとても豊富な元素のひとつだというのに、あいにく地球上にはほとんどない。病院における液体ヘリウム不足は現在常態化しており、供給が途絶えることがままある。その対策として、地質学者は地殻でヘリウムの新たな供給限を絶えず探しているが（たいてい天然ガスに含まれている）、ヘリウムの重要性は増すばかりで、この不可欠な物質の価格はここ15年で５００パーセント上昇している。

液体ヘリウムは有用なのだが、まったく手に負えなくなることもある。ＭＲＩ装置をうまく−269℃まで冷やしてはくれるものの、もう数度下がって−272℃まで冷えると「超流動状態」になる。すると、その液体に含まれる全原子が単一の量子状態を取る。言ってみれば、何十億×何十億個というヘリウム分子がまるであたかも1個の分子のように振る舞い、その液体は奇妙な力を得るのだ。たとえば、粘性がゼロになり、自発的に容器を上って外へ出ていってしまう。固体の物質を突き抜けて流れることさえできる。物体の原子スケールの欠陥を見つけて、何の抵抗も受けずに通り抜けるのだ。

本書をここまで読み進んだ皆様にとってはこの振る舞いもそこまでの驚きではなくなっていることを願いたい。液体には二面性がある。液体とは気体でも固体でもない、その中間状態だ。液体は刺激的で強烈である一方、身勝手で少々恐ろしくもある。それが液体の本質だ。それでも、液体をコントロールする力は概して前向きな成果をもたらし、私の予想では、人類が21世紀の終わりにこの世紀を振り返るときには、ラボオンチップによる医療診断や安価な脱塩技術を、平均寿命を延ばしたり、大量移住や紛争を防いだ大きな突破口として称賛するだろう。また、その頃には化石燃料を、特にケロシンを燃やすことからおさらばしているだろう。安い海外旅行、明るい日差しのもとでの休暇、わくわくするような冒険を私たちが楽しめるのもこの液体のおかげだが、地球温暖化への影響が無視できないほど大きい。ケロシンの代替品としては、どのような液体が発明されるのだろうか？　それが何であれ、離陸前の安全に関する説明という儀式は続けられているだろう。ひょっとすると、救命胴衣や酸素マスクやシートベルトといった小道具は使われなくなっているかもしれないが、いつにせよ愛でる儀式が、危うくもありがたい液体の力を愛でる儀式が必要に違いない。

謝辞

担当編集者のダニエル・クルーとナオミ・ギブズには、多大なる忍耐とご支援、そして専門家としての立場からの鋭い指摘を多々いただいたこと、そして離陸前の安全に関する説明に私が執着するのに我慢していただいたことに心から感謝する。

私はインスティテュート・オブ・メイキングで科学者、芸術家、製作担当者、技術者、考古学者、デザイナー、人類学者からなるチームと一緒に仕事をしている。本書をつくりあげるうえで、彼ら全員が何らかの形で私の力となってくれた。その友情とご支援に対し、メンバー全員に感謝したい。ゾー・ラフリン、マーティン・コンリーン、エリー・ドニー、サラ・ウィルクス、ジョージ・ウォーカー、ダレン・エリス、ロメイン・メニール、ニコル・シュミッツ、エリザベス・コービン、サラ・ブラウワー、ベス・ムンロ、アナ・プロスジャスキ。

インスティテュート・オブ・メイキングが所属するロンドン大学ユニバーシティ・カレッジ（ＵＣＬ）は、学際的な教育と研究を育む大学だ。ＵＣＬを知的で刺激的な場にしている同僚が大勢いる。なかでも以下の皆様に感謝したい。バズ・ボーム、アンドレア・セラ、ギヨム・シャラス、ヤニス・ヴェンティコス、マイカル・ライリー、マーク・リスゴー、ヘレン・ツェルスキ、レベッカ・シップリー、デイヴィッド・プライス、ニック・タイラー、マシュー・ボーモント、ナイジェル・ティッチェナー-フッカー、マーク-オリヴィエ・コッペンズ、パオラ・レッティエリ、アンソニー・フィンクルステイン、ポリーナ・ベイヴェル、キャシー・ホロウェイ、リチャード・キャットロー、ニック・レーン、アラティ・プラサド、マニッシュ・ティワリ、リチャード・ジャクソン、マーク・ランズリー、ベン・オールドフレイ。

　イギリスにはとりわけ活発な科学技術コミュニティがあり、長年にわたってその一員でいることに喜びを感じている。とりわけ、以下の皆様のご支援に感謝する。マイク・アシュビー、アシーン・ドナルド、モリー・スティーヴンス、ピーター・ヘインズ、エイドリアン・サットン、クリス・ローレンツ、ジェス・ウェイド、ジェイソン・リース、ラウル・フェンテス、フィル・パーネル、ロブ・リチャードソン、イアン・トッド、ブライアン・ダービー、マーカス・デュ・ソートイ、ジム・アル・カリリ、アロム・シャハ、アロック・ジャ、オリヴィア・クレメンス、オリンピア・ブラウン、ゲイル・カドリュー、スージー・クンドゥー、アンドレス・トレティアコフ、アリス・ロバーツ、グレッグ・フット、ティマンドラ・ハークネス、ジーナ・コリンズ、ロジャー・ハイフィールド、ヴィヴネ・パリー、ハンナ・デヴリン、リース・モーガン。

　本書の制作過程でコメントを寄せてくださった皆様に特段の感謝を表したい。イアン・ハミルトン、サリー・デイ、ジョン・コマイジ、リース・フィリップス、クレア・ペティット、サラ・ウィルクス。また、アンドレア・セラ、フィリップ・ボール、ソフィー・ミーオドヴニク、アーロン・ミーオドヴニク、バズ・ボーム、エンリコ・コーエンの皆様は、本書の原稿をひととおり読んで、きわめて貴重なフィードバックを寄せてくれた。

本書の制作を立ち上げた著作権代理人のピーター・タラック、およびペンギンランダムハウス社のチーム全員に、制作途上でのご支援に感謝する。

ラル・ヒッチコック、ジョージ・ライト、ダイアン・ストーリーには、あらゆるご支援と、本書の執筆中にドーセットでともに過ごした素晴らしい日々に対して、大いに感謝している。

私の子供たち、ラズロとアイダには、液体に対する際限ない熱意を分かち合ってくれたこと、そして本書の楽しい実験フェーズに協力してくれたことに感謝する。

最後に、最愛のルビー・ライトに、私の編集主幹であり創造力の源であることに対して謝意を表したい。

図版クレジット

p.022 アメンボ。Copyright © Alice Rosen
p.025 ジョン・ウィリアム・ヒル画『マッコウクジラの捕獲』(1835)。Copyright © Yale University Art Gallery
p.028 製油所。Copyright © Kyle Pearce
p.050 グラスの中の赤ワイン。著者による画像。
p.061 ダブリンのフォーティーフットでの著者。著者による画像。
p.071 津波の襲来。Copyright © David Rydevik
p.083 琥珀に捕らわれたアリ。Copyright © Anders L. Damgaard
p.095 合板のイームズチェア。Copyright © Steven Depolo
p.107『レモネードをこっそり飲む男』。Copyright © Ruby Wright
p.121 機内食。著者による画像。
p.138 茶畑。Copyright © HolyWiz
p.140 インスタントのリキッドティー。著者による画像。
p.150 ヒートガンを用いたコーヒーの焙煎。著者による画像。
p.155 直火式エスプレッソメーカー。著者による画像。
p.204『アムンの金細工師、ソベクモセの死者の書』のパピルスの断片（紀元前1500～1480)。Copyright © Brooklyn Museum
p.254 クイーンズランド大学のピッチドロップ実験。Copyright © The University of Queensland
p.260 巣をつくるハチ。Copyright © Frank Mikley
p.270 モロクトカゲ。Copyright © Bäras

＊手書きの図版：すべて著者が作成したもの

参考文献

Ball, Philip, *Bright Earth: Art and the Invention of Colour*, Vintage Books (2001)

Faraday, Michael, *The Chemical History of a Candle*, Oxford University Press (2011) マイケル・ファラデー『ロウソクの科学』(三石巌訳、角川文庫ほか)

Fisher, Ronald, *The Design of Experiments*, Oliver and Boyd (1951) R．A．フィッシャー『実験計画法』(遠藤健児・清治三石巌訳、森北出版)

Jha, Alok, *The Water Book*, Headline (2016)

Melville, Herman, *Moby-Dick*, Penguin Books (2001) ハーマン・メルヴィル『白鯨』(八木敏雄訳、岩波文庫ほか)

Mitov, Michel, *Sensitive Matter: Foams, Gels, Liquid Crystals, and Other Miracles*, Harvard University Press (2012)

Pretor-Pinney, Gavin, *The Cloudspotter's Guide*, Sceptre (2007) ギャヴィン・プレイター＝ピニー『「雲」の楽しみ方』(桃井緑美子訳、河出文庫)

Roach, Mary, *Gulp: Adventures on the Alimentary Canal*, Oneworld (2013)

Rogers, Adam, *Proof: The Science of Booze*, Mariner Books (2015) アダム・ロジャース『酒の科学：酵母の進化から二日酔いまで』(夏野徹也訳、白揚社)

Salsburg, David, *The Lady Tasting Tea: How Statistics Revolutionized Science in the Twentieth century*, Holt McDougal (2012) デイヴィッド・サルツブルグ『統計学を拓いた異才たち：経験則から科学へ進展した一世紀』(竹内惠行・熊谷悦生訳、日経ビジネス人文庫)

Spence, Charles, and Bentina Piqueras-Fiszman, *The Perfect Meal: The Multisensory Science of Food and Dining*, Wiley–Blackwell (2014)

Standage, Tom, *A History of the World in Six Glasses*, Walker (2005) トム・スタンデージ『歴史を変えた６つの飲物：ビール、ワイン、蒸留酒、コーヒー、茶、コーラが語るもうひとつの世界史』(新井崇嗣訳、楽工社)

Vanhoenacker, Mark, *Skyfaring: A Journey with a Pilot*, Chatto & Windus (2015) マーク・ヴァンホーナッカー『グッド・フライト、グッド・ナイト：パイロットが誘う最高の空旅』(岡本由香子訳、ハヤカワ文庫ＮＦ)

解説

すぐそこにある日常の中にこそ驚異がひそんでいる。材料科学という魔法の杖で著者が触れると、なじみ深い液体も、なんと魅惑的で不思議な姿を現すことだろう。固体と気体のあいだにある「液体」という状態は、なるほど謎めいている。たとえば、スマホやテレビのディスプレイなどに使われる液晶。その名のように、液体と結晶（固体）の性質を併せ持つ。この奇妙さと電圧をかければ分子の群れの向きを変えられるという性質こそが、液晶の技術的成功の鍵なのだ。奇妙と言えば、ＰＦＣ（パーフルオロカーボン）液体は、その中にマウスを浸からせても魚のように呼吸できるというまさに魔法のような特性で、人工血液として脚光を浴びている。

固体や気体へと変身する液体材料は、人類の大いなる進歩を支えてきた。液体から固体へと変わる粘つく接着剤がなければ、私たちは数々の道具もつくりだせなかった。現代の軽量化した飛行機には炭素繊維複合材料が使われているが、それを可能にしたのも先進の接着テクノロジーにほかならない。輝かしい名作絵画を時を超えてあらしめているのも、色付き接着剤たる絵の具のおかげだ。

流動的で圧縮しにくい液体は制御が難しい。ときにそれは洪水や津波となって襲い来る。ことは自然界だけではない。筆記具であるペンのインクも、その流れをいかに制御するかなど多くの難題を抱えていた。この問題を解消したのが、すらすら流れるように文字を書けるボールペンだ。液体インクの非ニュートン流動という性質と、回転する小さなボールとを組み合わせた天才的な発明だった。

人類と液体との関わりで忘れてはならないのが、アルコール（酒）やコーヒー・紅茶などの飲み物だ。これには著者もかなりのこだわりがあり、ワインの風味の蘊蓄や、最高においしいコーヒー・紅茶の淹れ方など、科学の目線で教えてくれる。

液体をミクロスケールで眺めると、興味深いつながりが見えてくる。たとえば、お酒のアルコール（エタノール）の分子特性は水と似ている。だからエタノールは水に溶け、アルコール度数の調整もできる。一方でエタノール分子は、体内の細胞を覆う脂質分子の膜（細胞膜）とも似ており、その防御をかわして血流に入り込める。こうしてアルコールは私たちを酔わせ、疾患をもたらしたりもする。

固体らしい弾性と液体らしい粘性を兼ねた性質は「粘弾性」と呼ばれる。ゴムやジェル、バターなどが分かりやすい例だが、これが体液となるとひどく嫌われる。どろりと垂れたよだれや鼻水など、もうじつに気持ち悪い。健康に役立つ唾液が、なぜ体外で目に付くと嫌悪感をもよおすのか？

一方、舗装に使われるアスファルトはこの性質で、道路の亀裂を自己修復している。

液体の海がなければ生命も誕生しなかったろう。地球の真ん中にある核の芯は、液体が固体化した巨大な金属結晶で、その周囲を液体金属が流れている。その上に載っているマントルは、岩石の層なのに、液体のようにゆっくりと流れている。そして、地球温暖化により北と南の氷のどちらが先に溶けるかで、人類の運命は分かれるだろう。

石器時代の道具から最先端のラボオンチップ医療革命まで——本書は材料を生みだし、材料に生かされてきた人類のイノベーションの物語でもある。ビル・ゲイツ氏の評するように、まさに「軽妙にして明晰」。愉快なエピソードとともに、液体材料の科学と歴史・未来について学べる好著となっている。

本書出版プロデューサー　真柴隆弘

著者
マーク・ミーオドヴニク　Mark Miodownik
ロンドン大学ユニバーシティ・カレッジ（UCL）の「材料と社会」学部教授。同大のインスティテュート・オブ・メイキング所長。『タイムズ』紙による英国で最も影響力のある科学者100人に選出。英国王立協会マイケル・ファラデー賞を受賞（2017年）。BBCテレビのドキュメンタリー番組のプレゼンターも務める。前著『人類を変えた素晴らしき10の材料』は、多数の年間ベストブックを獲得し、全米ベストセラーにもなった。

＊英国王立協会 インサイト・インベストメント科学本賞
最終選考作品（2018）

訳者
松井 信彦（まつい のぶひこ）
翻訳家。訳書はクリストファー・プレストン『合成テクノロジーが世界をつくり変える』、マット・サイモン『たいへんな生きもの』、サム・キーン『スプーンと元素周期表』、デイヴィッド・ドイッチュ『無限の始まり』（共訳）など多数。

Liquid 液体

この素晴らしく、不思議で、危ないもの

2021年4月20日　第1刷発行

著　者　　マーク・ミーオドヴニク
訳　者　　松井信彦
発行者　　宮野尾 充晴
発　行　　株式会社 インターシフト
〒156-0042　東京都世田谷区羽根木1-19-6
電話 03-3325-8637　FAX 03-3325-8307
www.intershift.jp/
発　売　　合同出版 株式会社
〒184-0001　東京都小金井市関野町1-6-10
電話 042-401-2930　FAX 042-401-2931
www.godo-shuppan.co.jp/
印刷・製本　モリモト印刷
装丁　織沢 綾（カバーは原著装丁をアレンジ）

カバー画像：
Katrin Fridriks, *Noble and Awakening Force*, 2016（部分）,
画像写真 © Fridriks workshop - Cedric Pierre, 2016

オビ&本扉 画像：
Zebra Finch, Nicola Renna ©（Shutterstock.com）

定価はカバーに表示してあります。
落丁本・乱丁本はお取り替えいたします。
Printed in Japan
ISBN 978-4-7726-9572-5　C0040　NDC400　188x130

合成テクノロジーが世界をつくり変える

生命・物質・地球の未来と人類の選択

クリストファー・プレストン　松井信彦訳　二三〇〇円＋税

生命・物質・地球をつくり変える合成テクノロジー。人類が神の領域に迫りつつあるいま、「変成新世」における未来への選択が問われる。★栗原裕一郎・篠原雅武・森山和道 氏など絶賛！

WAYFINDING 道を見つける力

人類はナビゲーションで進化した

M・R・オコナー　梅田智世訳　二七〇〇円＋税

GPSによって人類はなにを失うか？ 脳のなかの時空間から、言語・物語の起源まで。人類進化の根源へと至る探究の旅へ！ ★山本貴光、岡本裕一朗、角幡唯介 氏推薦！

宇宙の果てまで離れていても、つながっている

量子の非局所性から「空間のない最新宇宙像」へ

ジョージ・マッサー　吉田三知世訳　二三〇〇円＋税

この世界の根源に「空間」は存在せず、宇宙の果てまで離れていても互いにつながっている。量子宇宙論の国際的リーダーたちに取材し、まったく新たな宇宙論へと招待する。

★年間ベストブック多数！ ★ノーベル物理学賞 F・ウィルチェック（MIT教授）激賞！

たいへんな生きもの

問題を解決するとてつもない進化

マット・サイモン　松井信彦訳　一八〇〇円＋税

生きることは「問題」だらけだ。だが、進化はとてつもない「解決策」を生みだす！ リアル面白イラスト満載で、進化の不思議がぐんぐんわかる。

★全米図書館協会「アレックス賞」 ★不思議の玉手箱だ——大野秀樹『図書新聞』

動物たちのすごいワザを物理で解く

花の電場をとらえるハチから、しっぽが秘密兵器のリスまで

マティン・ドラーニ＆リズ・カローガー　吉田三知世訳　二三〇〇円＋税

動物たちの超能力のようなワザの秘密を、物理の最新研究が解き明かす。

★ポピュラーサイエンスの殿堂に加えるべき名著だ——『ポピュラーサイエンス』誌

人類の意識を変えた20世紀

アインシュタインからスーパーマリオ、ポストモダンまで

ジョージ・マッサー　梶山あゆみ訳　二三五〇円＋税

20世紀の「大変動」を経て、人類はどこへ向かうのか？ 文化・アート・科学を横断し、新たな希望を見出す冒険が始まる！ ★松岡正剛、瀬名秀明、吉川浩満氏、称賛！